憲法の焦点

PART 3・統治機構

―芦部信喜先生に聞く―

有斐閣リブレ

〔目　次〕

●トビラ裏の解説に付した番号は、本文中の行間の番号に合わせてあります。

対談者紹介

芦部信喜先生

一九二三年九月一七日、長野県駒ヶ根市に生まれる。一九四九年、東京大学法学部卒業。前東京大学教授、学習院大学教授。

（主要著書）『憲法と議会政』東京大学出版会、一九七一年。『憲法訴訟の理論』有斐閣、一九七三年。『現代人権論』有斐閣、一九七四年。『憲法Ⅱ人権⑴』（編著）有斐閣、一九七八年。『憲法Ⅲ人権⑵』（編著）有斐閣、一九八一年。『憲法訴訟の現代的展開』有斐閣、一九八一年。『演習憲法』有斐閣、一九八二年。『司法のあり方と人権』東京大学出版会、一九八三年。『憲法制定権力』東京大学出版会、一九八三年。

学生

岩東完治（いわとう　かんじ）

一九六一年生まれ、土浦第一高等学校卒、早稲田大学法学部。

加賀美正人（かがみ　まさと）

一九六二年生まれ、慶応義塾高等学校卒、慶応義塾大学法学部。

村山　永（むらやま　ひさし）

一九六〇年生まれ、山形東高等学校卒、東京大学法学部。

山田　穣（やまだ　みのる）

一九六一年生まれ、修猷館高等学校卒、中央大学法学部。

第1章　国民主権と権力分立

宮沢俊義先生

尾高朝雄先生

（1）ノモス主権論

ここにノモスとは法の理念ないし根本原理を言い、そこに主権が存するとは、地上の世界での最高の権力者である王（君主または国民）といえども、法の理念に従って権力を行使しなければならないことを意味する。こういう考え方から尾高教授は、「いかなる政治も、できるだけ多くの人々の福祉をできるだけ公平に具現するという則るべき筋道、すなわち『ノモス』に従わなければならない。したがって、政治の方向を最終的に決定するものを主権というならば、主権はノモスに存しなければならない。天皇も国民も、ノモスに支配される。この意味で、天皇主権から国民主権に変革したからといって、ノモスの主権は少しも変わらないのだから、日本の国家組織の根本性格が変わってしまったと考えるのは、正しくない」旨を、国家法人説（国家主権説）などを引き合いに出して主張した。

これに対して宮沢教授は、主権には、①国家権力そのもの（統治権）、②国家権力の最高独立性、③国の政治のあり方を最終的に決める力ないし権威、という三つの異なる意味があり、国家法人説の言う国家主権論とかノモス主権の原理が認められるとしても、それと別個に、③の意味の主権が、国民に存するか君主ないし天皇に存するか、という問題はあくまでも残るとし、「天皇主権から国民主権に変わったことは国家組織の根本性格の変化である。この変化は、ノモス主権が変わらないということによって否定されるものではない。政治体制の根本性格の変化の認識を、ノモス主権とか国家主権をもち出してあいまいならしめることは、誤りであり当を欠く」旨を説いて、反論した。

この論争は、国民主権と天皇制との関係、すなわち、天皇主権であることは国民主権でないこと、国民主権であることは天皇主権でないこと、ここにいう主権の主体は必ず具体的な人間でなければならないこと（国家ないしノモスに主権があるという考え方は正当でないこと）等を学問的に明らかにした点で、きわめて重要な意義を有する。

Ⅰ　国民主権の具体的内容

●第一のポイントは、憲法制定権力をどう考えるか

村山　本日は、統治機構に関する諸問題についてお伺いしたいと思います。

山田　最初に、国民主権と権力分立に関しまして基本的なところを先生にまとめてお伺いしようと思います。第一に、日本国憲法の解釈としての国民主権原理はどのような内容を有しているのかということに関して、国民概念と主権概念とをどう関連させて考えたらよいかなど、先生のご意見をお伺いしたいと思います。

芦部　国民主権の具体的な意味と内容を一義的に割り切って説明することは大変難しく、いまの質問に全面的に答えることはできませんので、私が考えてきたことの要点を説明することにします。

国民主権にいう国民の概念との関連で国民主権の具体的な内容を考えていく場合にいくつか重要な視点がありますが、私は、その第一のポイントは憲法制定権力（制憲権）をどう考えるかということだろうと思います。国民主権にいう主権はしばしば制憲権とほぼ同じ意味だと説明されますね。日本国憲法が制定されてしばらくしてから、国民主権によって明治憲法時代の「国体」が変革したかどうか、国民主権と天皇主権は相反する原理かどうかという問題をめぐって学問的な論争がありました。

なかでも尾高朝雄《おだかともお》先生の主張された「ノモス主権」(1)をめぐって宮沢俊義先生との間で展開された主権論争はいまでもよく引かれる有名な論争ですが、そのとき宮沢先生はこう書いておられます。

「国民主権を問題とする場合の主権とは、国の政治のあり方を最終的にきめる力をいう。これを、『国家における最高の意志』といってもいいし、『最高の権力』といってもいいし、また、『最高の決定権』といってもいいだろう。あるいは、シエイエス流に、『憲法制定権力』といってもいいかも知れない。国家法人説の言葉でいえば、『国家意志を構成する最高の原動力たる機関意志』である。たとえば、いまの日本で、天皇制を存置すべきや否やが、問題となったとする。その場合、それを最終的にきめる権力あるいは権威が、ここにいう主権である。」(『国民主権と天皇制』勁草書房、一九五七年、一五頁)

この引用文で宮沢先生が説かれたとおり、国民主権に言う主権は、フランス革命当時の思想家シエイエス(Siéyès, E. J.)が、『第三階級とは何か』という有名な本で展開した憲法制定権力と同じだと言ってもいいし、あるいは国家法人説流に言えば、国家の最高機関の機関意思だと言ってもいいと私も思うのですが、この主権と憲法制定権力との関係をもう少し立ち入って考えてみますと、そこに大変重要ないくつかの問題点があります。

憲法制定権力の観念は、特に近代市民革命期にフランスやアメリカの近代憲法制定の際、国民の憲法を作る力(pouvoir constituant, constituent power)として説かれ、憲法制定の推進力となったものですけれども、法秩序を創造する権力ですから、これは純粋に法的な権力とは言えないわけです。それでこれを完全に社会的な事実の力だと解する考え方も有力です。特に法実証主義の立場をとる学説では、ほとんどすべて制憲権を社会的実力と考え、法学の対象にはならないとしています。

しかし、私は一九八三年に刊行された『憲法制定権力』（東京大学出版会）という本の中でも述べたのですが、主権は法的権力、制憲権は法外的権力、つまり社会的権力というふうに截然と区別することが可能かどうか、また妥当かどうか、疑問に思うのです。むしろ主権も憲法制定権力もいろいろ変遷はありましたが、ともに実定法的にも超実定法的にも用いられた概念ではなかろうかと思うのです。

●主権には権力的契機が包蔵されている

芦部　そこで主権を制憲権と言い換えてもよいとしますと、国民の憲法制定権力とはまさに国民が国の政治のあり方を最終的に決める力を持ち、それを自ら、あるいは直接の代表者を通じて行使するという自己統治の契機、これを私は「権力的契機」と呼んでいますが、そういう権力性を持った概念ですから、主権もまた権力的契機を持つ概念だということになります。

ところが制憲権は近代憲法が制定されたとき、憲法の中に国民主権の原理として制度化されて、いわば国家権力の正当性の究極の根拠は国民に存するという一つの建前ないし理念としての性格を持つものになったのです。よく制憲権の発動は永久に凍結されてしまったと言われるのはその趣旨です。そう考えますと、国民主権は国民の憲法制定権力とほぼ同じだと言っても、国民主権とは国の統治のあり方を最終的に決定する権力が国民に存するという建前であるとか、国家権力の正当性を基礎づける究極の根拠が国民に存するという理念であるとか、ということになるわけです。そういう考え方も日本では有力ですが、私は制憲権の本来持っていた権力的契機、これが国民主権に言う主権の中にもなお重要な要素として残っているという考え方をとっているのです。そしてそれは、国民主権の原理と結びついて定められる憲法改正手続規定に具体化されているというふうに考えるのです。

改正権は「制度化された制憲権」と言われますが、国民主権も制憲権思想が憲法の中に組織化されたものですから、二つとも国民の憲法制定権力をいわば生みの親とするものだということになるわけですね。ですから、国民主権は国民の憲法制定権力という側面、通常これは改正権という形で具体的には問題になるわけですが、その側面では権力的契機を包蔵する概念でなければならない、と私は考えてきたのです。

ここで問題にしている主権というのは、国の政治の在り方を最終的に決める権力または権威と定義されますが、これは主権の権力的契機と正当性的契機に対応していると言うこともできると思います。要するに、私は主として憲法制定権力との関係から主権概念の持つ二面性ということをいままで説いてきたわけです。

●主権の主体は、国民か有権者か……

芦部　もう一つ重要なポイントは、主権というのは国の統治の在り方を最終的に決定するものですから、具体的な内容を持った意思でなくてはならないということなのです。先に紹介した論争で、宮沢先生が主権の主体は具体的な人間でなくてはならないと説いておられるのは、その趣旨です。具体的な人間であるとすれば、主権概念の生成発展の歴史的経緯からいって、主権は唯一不可分という性質を持つものですから、君主に存するか、国民に存するかということになるわけです。

そこで、国民に存するという場合の国民はどういう観念なのかが問題になってくるわけですが、主権に正当性的契機と権力的契機の二つがあるとしますと、主権の担い手である国民も必ずしも同じではなく、正当性的契機に重点をおいて考えれば、主体は全国民と考えるべきではないか、少なくともそう考えたほうが妥当ではないか。しかし、権力的契機に重点をおいて考えれば、主体は選挙人団と考えるべきではないか、そういう立場を私はとるわけです。

これはあるいは主権の保持者としての国民と、国家機関としての国民というふうに分けて考えたほうがいいかもしれません。そういう学説はかなり有力だと思います。つまり憲法改正権の担い手としての国民、これは国民投票で改正をするか否かを最終的に決定する国民ですね。

芦部信喜先生

したがって、それは選挙人団ですから国家機関としての国民です。ただ私は制憲権の永久凍結説に必ずしも賛成でないものですから、国民主権の保持者としての全国民と、国家権力の担い手としての選挙人団とを截然と区別して割り切ってしまうことに若干の躊躇を感じております。ただしいずれにしろ、私はかつて『憲法の基礎知識』（有斐閣、一九六六年）にも書きましたが、全国民と有権者とは国民主権の原理のもとで一体的に捉えられている、そこに同一性の原理が支配するというふうに考えております。

●プープル主権とナシオン主権

山田　最近、フランス憲法にいう主権の理論で日本国憲法の国民主権の意味や内容を考えるべきだという学説が有力ですけれども、そういう学説とはどういう関係にあるのですか。

芦部　私の考え方にはいろいろ批判的な立場があると思いますが、中でも重要なのは、いま言われたフランスの憲法および学説で問題にされてきた「ナシオン主権」と「プープル主権」という主権理論の歴史を踏まえて、日本国憲法の国民主権はプープル主権と解すべきだという考え方です。これについては杉原泰雄教授と樋口陽一教授の秀れた研究がありますし、教科書にも触れられている点ですから、大筋はご存じだと思います。

しかし私は、日本の国民主権をプープル主権と解する説にはなお若干の疑問を持っているのです。

というのは、プープル主権・ナシオン主権と対立的に使われる場合の「人民《プープル》」は、具体的には有権者です。ところが「国民《ナシオン》」は現に実存する国民とは別の抽象的な「団体的人格としての国民」であると言われております。つまり人格化された国民がナシオンです。フランスのある有名な学者は、「国家はナシオンの人格化、つまり権利主体として見た国民にほかならない。国民は国家であり、国家は国民である」と言っております。ですから宮沢先生が主権の主体だという全国民という場合の国民と、ナシオンとは意味が少し違うわけです。ナシオン主権は、したがって国家に主権があるという意味にもなるわけです。

同じヨーロッパでも、スイス憲法の国民主権に言う国民は全国民だと、有名なジャコメッティ(Giacometti, Z.) という学者をはじめ、かなり多数の学説は解釈しております。またドイツでは、国民主権に言う国民は、フォルク (Volk) という言葉が使われます。これは日本で言う全国民を意味する場合もありますし、有権者を意味する場合もあるのですが、現在の西ドイツ基本法の「すべての国家権力は国民から発する」という、日本国憲法の国民主権の規定に当たる条項に言う「国民《フォルク》」は、国家権力を正当化する要件としての国民、具体的には全国民というふうに解するのが通説です。しかしその国家権力を選挙、票決などによって行使する場合の国民、これもフォルクという言葉が使われていますが、その場合のフォルクはアクティブ・ビュルガー (Aktivbürger)、つまり有権者です。このように同じフォルクという言葉を分けて解釈するのが通説であり、そこにはナシオン主権かプープル主権かというフランスのような形の論争はないのです。スイスでもそういう議論はありません。

アメリカの憲法には主権規定はないのですが、主権はピープル（people）に存すると考えられています。しかし、ピープルの意味は必ずしも一義的に有権者だというふうに解釈されているのではなく、いろいろの解釈がありますが、この問題にふれている判例・学説は、やはり全国民という意味に解釈しています。

したがって、日本国憲法の主権の主体を考えるときも、必ずしもフランスの議論に従う必要はないのではないか、ドイツ法的な理解も可能なのではないか、特に国家法人説をとらない場合には現在の西ドイツ基本法の解釈のような形で日本国憲法の国民主権を解釈することも十分理由があるのではないか、というふうに私は考えるわけです。

若干付言しますと、国家法人説をとりますと、ここで問題にしている主権は最高機関の機関意思という意味になります。例えば、君主制であれば君主、共和制であれば選挙人団が主権者となるわけです。国家法人説を前提に統治機構を考えると、主権者としての国民は全国民ではなくて選挙人団（有権者）ということに当然になるわけですね。それはフランスのプープル主権にいう人民と実質的には同じということになるわけです。戦前のドイツの国家法人説に準じて考えますと、ナシオン主権は国家主権説ということになります。

岩東　権力的契機を国民主権が含むという場合、それはリコール制を設けるとか、立法に関する国民投票制を法律で設けることまで認めるということなのでしょうか。

芦部　権力的契機にもいろいろ段階があります。しかし私は、先ほどお話したとおり、権力的契機とは、具体的には国民主権の原理と結び合いそれにのっとって定められる国民の憲法改正権と考えるものですから、必ずしもリコール制とか立法の国民投票制まで含むとは考えていません。プープル主権を前提として権力的契機を考え、それを純粋に推し進めてゆけば、リコール制が必要だとか、その他の直接民主制がむしろ原理的に要請されるということにもなるわけですが、私が言う権力的契機はそこまで含むものではないのです。

加賀美　しばしば教科書などに、国民主権の原理は、例えば、国会の意思と国民の意思とのできるだけ忠実な同一性を要求するということが書かれてありますが、それは権力的契機から導かれるのではなくて、正当性の契機の問題として扱うわけですか。

芦部　それは権力的契機とも関連はありますが、むしろ正当性的契機の問題ですね。正当性的契機はあくまでも建前であるとか、理念であるとか言われますが、それはそのとおりなのです。ただ権力の究極の根拠が国民にあるわけですから、国の統治はできるだけ国民意思を反映するものでなければならない、という論理になると思うのです。

Ⅱ　三権の相互関係

●三権相互の抑制均衡の関係を重視する

山田　次に三権の相互関係に関する質問をしたいと思います。三権分立制は国家権力をその作用に応じて独立させ相互に抑制均衡することにより、国家権力の濫用防止をし、個人の自由を保障する自由主義的な制度であると考えられていますが、国民主権との関係において具体的な三権の相互関係をどう考えればいいのか、特に国会の地位などに関連して先生にそのご意見をお伺いしたいと思います。

芦部　これも大変大きな問題ですけれども、権力分立制はいま言われたとおり自由主義的な制度ですから、国民主権という民主主義の原理と結びつくのかどうかという問題もあるわけですが、私は法治主義とか権力分立という自由主義の原理ないし制度は、民主主義ないし民主制と日本の憲法構造では密接不可分の相互関係にあると考えなければならない、それが基本的な前提だという立場をとっています。

そこでいまの質問ですが、私は国民主権の意味を先ほど説明したように捉えますので、三権相互の関係は国民主権との関係では直接大きな問題にはならないと思うのです。ただ図式的に言えば、国民主権は若干の直接民主制を加味した代表民主制という統治形態に具体化されているわけですから、主権者である国民を直接に代表する議会が三権の中心的な地位を占めるし、日本国憲法の場合は議院内閣制をとっていますので、内閣は国会によって組織される、またその内閣によって最高裁判所の裁判官の任命が実質的に決まる、そこで主権者の意思に近いか遠いかによって、国民→国会→内閣→裁判所という一つの直線的な系列で三権の関係を捉えることもできるということになります。

しかし、憲法で三権に与えられているもろもろの権能とか、三権が果たす、あるいは憲法上期待されている機能などを総合して考えますと、いま述べたような単純な図式で三権相互の関係を考えることはできないと思うのです。確かに日本国憲法は国会を国権の最高機関と定めています。しかし初歩的な話ですが、国会と内閣は議院内閣制の建前によって相互抑制、協働関係にあるわけですね。しかも憲法の実体を見ますと、福祉国家の要請であるとか、日本の政党制の在り方などとの関係で、内閣優位の議会政になっております。さらに裁判所の違憲審査権によって国会はコントロールされています。ですから国会の最高機関性には、国権を統括するという法的な意味はないということになるわけです。相互の抑制均衡の関係を重視しなければならなくなるわけです。

●権力分立原理の歴史性という視点

芦部　そこで三権の関係をどう捉えたらいいかと言うと、第一に、権力分立原理の歴史性という視点が重要です。私は憲法の講義で権力分立を説明する際は、権力分立は市民革命の時代に具体的な政治の要請に基づいて説かれた、きわめて歴史的な性格をもつ原理だということを強調しております。それは一つには国によって権力分立の在り方が違うところからも明らかです。よく言われることかも知れませんが、三権の同格に重点のあるアメリカ型の権力分立と、議会中心の大陸型とくにフランス型の権力分立という、二つの類型に大きく分けられると思うのです。

アメリカ型はより自由主義的な形態の権力分立ですし、大陸型はより民主主義的な形態の権力分立です。これは立憲主義国家が生まれる際に、国家の権力機構で議会が果たした役割の違いに由来するというふうに私は考えます。

アメリカ型の場合には、歴史的な経緯から言って立法権不信という思想が大変強かったものですから、その思想と自然権思想が結びついて、憲法で定められた権力分立は自由主義的に構成されている、つまり立法・行政・司法が憲法のもとで並立的な形で考えられて構成されております。

ところがフランスを中心とする大陸型では、君主の権力を国民代表である議会によって制限する、それによって国民の自由を勝ち取るという経緯をへて近代立憲主義が形成されましたので、立法権中心、議会中心に三権が構成されているわけです。

そこで日本国憲法の権力分立をどう考えるかということになりますが、これは必ずしもアメリカ型に徹しているわけではないし、また必ずしも大陸型とも言えない。どちらかと言えば、アメリカ型の三権併存の関係が強いというふうに考えられると思うのです。

●立法・司法・行政の意義と役割を考える

芦部　権力分立の歴史性という視点のほかに、もう一つの重要な視点は、立法・司法・行政という国家作用の違いを憲法の定める政治組織との関係で考えてみることだと思います。

私はいままでいろいろな機会に書いたのですが、立法と行政は政策を形成する政治的機関、司法はその意思を執行する非政治的な機関であるというふうに截然と分けて考える、特にそういう観点から司法を別格扱いにして、裁判所は国民に対して政治的に責任を負えないとか国民を代表する民主的な制度ではないとか、そういうような一般的な原則を強調して司法権の機能を限定する、という考え方は問題だというふうに考えてきたのです。

裁判所、特に最高裁、これも国会、内閣という統治機関と同じように、ときとしてはそれと密接に連携しながら政策の形成に関与している、こういう側面を無視してはいけないのではないかということです。ただ立法と行政による政策形成は、議院内閣制の建前に従い国民のマジョリティーの意思に基づいて行われます。そこにマジョリティーの利益が代表される。もちろん少数者の意思や利益が無視されるというわけではないのですが、多数決でことを運ぶという議会政では、往々にしてマイノリティーの権利・自由がないがしろにされるおそれが決して少なくないと思うのです。そういう議会政という憲法の定める政治組織との関係で個人の権利を法の論理に基づいて適正な手続で救済することを任務とする司法の役割を考えると、それが権利・自由の保障を通じて、結局、国民主権という民主

山田穣君

『憲法の焦点』も、この統治機構をもって完結となります。全三巻、足掛け一年に及ぶとは、この企画の当初思いもよらず、ただ私達と同じ様に憲法を学ぶ仲間達の役に立つ本にするにはどうしたら良いのかを考えるのが精一杯でした。試行錯誤の中ではありましたが、芦部先生との対談で、どれだけ視野を広げていただいたことでしょう。先生の慎重に書かれた文章に物足りなさを感じていたのですが、その何気ない言葉の裏には、深い思索が隠されていたのです。恐らく、芦部憲法学の秘密は、そこにあると思います。憲法の本を読むときは、常に「なぜ」という問いかけが必要なのです。言葉の背後に隠されたものを知るために。

主義の大原則を確保していく重要な意味を持ってくると思うのです。

そういうことで、先ほどの質問については、国民主権の意味と権力分立の歴史的な性格ということと、立法・司法・行政という国家作用の意義および役割というものを総合して、三権相互の関係を考えてみる必要があるのではないかと思うのです。

●民主主義と裁判所の役割

山田　僕はこの点でゼミ論を書いたのですが、司法権を担当する裁判所の機能は、多数者支配的民主主義の補完をなすものであるというふうに考えてよろしいのでしょうか。

芦部　結論的にはそういうことになるわけですね。つまり民主主義というものをどう考えるかということにもよりますが、議院内閣制の下では、多数決原理で政策が形成されてゆくわけですから、どうしてもマイノリティーの権利・自由がないがしろにされるというおそれもたぶんにあるわけです。そこで、これは前回（PART2『憲法訴訟』）も触れたことですが、司法はそういうマイノリティーの権利・自由を保障していく、そこに非常に大きな意義があるし、それが違憲審査権という形でも具体化されているというふうに考えますと、多数者支配的な民主主義の補完的な役割を果たしているわけです。

山田　民主主義と自由主義が絡み合っているということですか。

芦部　絡み合っていると言うより、結びついているということでしょうね。それも、民主主義と自由主義の相互の関係を一応切り離したうえで結びつくというのではなく、民主主義そのものの中に既に自由主義の原理が内在しているというふうに考えるのです。

ここはいろいろ議論があって、いまの説明では納得できないと言われるかもしれません。民主主義という概念は非常にわかりにくいのです。政治組織の場合のデモクラシー、いわゆる民主政という場合と、広くデモクラシー、民主主義という場合とでは、意味が違います。ですから、狭義の民主主義、広義の民主主義というふうに分けて考える説があります。狭義の民主主義とは多数決でことが決まっていくという民主政治のことを意味します。これに立憲主義を含めて民主主義を考えると、広義の民主主義になります。日本国憲法の基本原理としていろいろ挙げられますが、それを一言で民主主義と呼ぶことがありますね。それが広義の民主主義で、その中には自由主義的な原理も当然含まれているというか、内在しているというふうに考えるわけです。

私もこの考え方が最も妥当だと思います。二つを切り離して自由主義は否定しても民主主義的でありうる、人権は制限しても民主主義は守られる、これはナチズムの基本的な思想であったわけですが、日本でもそれと同じことが明治憲法時代に言われたのです。これは非常に問題で、デモクラシーは自由主義が基礎にないと成り立たない。そういう意味で人権と主権が結びついていないとデモクラシーは確立しないのです。

Ⅲ　司法権の概念

●司法と裁判

村山　立法と行政の問題はまたあとでお伺いすることにしまして、司法の問題ですが、これについてはすでにPART2の『憲法訴訟』で違憲審査権を中心に先生のお話があり、いま権力分立の問題としても話題になりましたので、時間の関係上ここでは一つだけ、司法権の概念について先生のお考えをお伺いしたいと思います。

山田　一般に、実質的な司法権の概念は、具体的な争訟事件に対し、法を解釈・適用し、これを解決する国家作用であるとされていますが、この具体的事件性という本質的要件の意味を、裁判と司法、それぞれの概念との関連でお伺いできればと思います。

芦部　これは論文などで別に書かないと、短い時間の話では、かえって誤解を与えるおそれもあるかも知れませんが、感想的な意見だけお話するにとどめておきます。

私は最近「司法における権力性」という論文（岩波講座『基本法学6権力』一九八三年所収）などで、「事件性の要件は日本国憲法の司法権の基本的要素だと考えるけれども、司法とは、具体的な争訟について法を適用し宣言することによって、これを裁定する国家の作用をいう、という伝統的な考え方は、法の解釈と適用という近代法的観念に重点を置きすぎる点に問題もある」と述べました。司法の近代的観念といっても、その意味内容は国や時代によって違い、もっぱら法の機械的な適用作用だと考えられたり、そこに法創造作用を含むものと考えられたりしましたが、アメリカを除くと、ヨーロッパ大陸諸国では、例えばワイマール憲法時代のドイツでも、一般に、司法は立法者の意思を尊重し文理に忠実に法を解釈してそれを具体的事件に適用する作用だという、司法の消極性・受動性が強調されていたように思われます。

そこで私は、違憲審査権を含むようになった現代国家における司法については、その法創造ないし政策形成の機能の重要性を明確にする新しい要件を加味すべきではないか、という趣旨のことを書いたのです。しかし、これは司法権の概念の歴史性とか、法形成・政策形成の機能などをやや強調しすぎたきらいはありますが、私も司法権の概念の核心は具体的事件性という伝統的な要件にあると考えていることは、言うまでもありません。ただ、人権の保障を通じて憲法を保障するという現代の司法国家の司法権のあり方にふさわしい内容を、解釈・適用という伝統的な観念の中に盛りこんで考え直してみる必要がある、ということです。こういう点は「憲法訴訟の基本問題」という論文（法学セミナー三五三号）でも書いたことがあります。

山田君の質問は、佐藤幸治教授のお考えについてのコメントを私に求めるような趣旨と思いますが、私は実質的にはそれほど違った立場をとっているのではないと考えています。ただ、佐藤教授が近代立憲主義の特徴は、象徴的に言えば「裁判権から司法権へ」という点にあるとされ、PART2『憲法訴訟』で触れた公共訴訟（制度改革訴訟）と呼ばれる現代型訴訟、これは特にアメリカで問題になっているのですが、この訴訟を司法の枠をはみ出したもの、裁判所が普遍的な裁判作用を引き受けようとしているもの、したがって、「司法から裁判へ（?）」回帰しようとする意味をもっている、というふうに捉える見解を示された（「司法権の観念と現代国家」月刊法学教室三七号、「現代における司法権の観念と機能について」公法研究四六号）点について、若干の疑問をもちます。

というのは、私も現代型訴訟には多くの問題点があると思うのですが、その種の訴訟そのものが司法の観念に矛盾するかどうか、司法の立憲主義的観念の限界をふみこえるものかどうかというと、私は司法権の枠内に入りうる一つの可能態として捉えてよいのではないか、と考えているのです。ですから、概念として、裁判と司法は一応分けて捉えられますが、それをモデル化して、立憲主義や司法権の本質とあまり結びつけて区別しないほうがよいのではないか、と思うのです。これは憲法学界でまだあまり議論されていない専門的な問題ですから、私としては、少なくとも学生諸君が憲法を勉強する場合、その点にそれほどこだわる必要はない、日本国憲法の解釈としては司法も裁判と同じにみて、そのうえで法形成・政策形成の機能の重要性と、それぞれの事件にふさわしい適正な手続の保障という要件を、伝統的な司法権の概念の中に盛りこんで考えることが重要だ、と考えているのです。

第2章　国会の地位と権能

裁判の独立は侵されたか

浦和充子事件をめぐって

最終決定は最高裁で

憲法・法律の違反認否

座談会出席者

浦和充子事件をめぐって（朝日新聞 1949・5・30）

（2）浦和事件

夫が生業を顧みないので前途を悲観して親子心中をはかり、幼児三名を殺したが自分は死に切れず自首した母親（浦和充子）に対して、浦和地裁が懲役三年執行猶予三年の判決を下したところ、当時「検察及び裁判の運営等に関する調査」を行っていた参議院法務委員会がこれを取りあげ、裁判所の事実認定は失当であり量刑も軽きに失するものであると決議した。

最高裁は、国政調査権は各議院に憲法上与えられた権能を実効的に行使するための補充的権能であるとの立場から、法務委員会の措置は「司法権の独立を侵害し、まさに憲法上国会に許された国政に関する調査の範囲を逸脱する」ものだとして、強く抗議した。法務委員会は、国会の最高機関性に基づいて行使される国政調査権は、「単に立法準備のためのみならず国政の一部門たる司法の運営に関し、調査批判する等、国政全般にわたって調査できる独立の権能である」、確定判決の調査は「毫も裁判の独立を侵すものではない」と反論したが、学説はほとんどすべて最高裁を支持した。（芦部『憲法と議会政』一五九～一七二頁参照）

I　国会の最高機関性

●通説としての政治的美称説

村山　それでは次に、国会の地位と権能の問題について岩東さんからお願いします。

岩東　四一条の最高機関性についてお伺いしたいと思います。従来、最高機関の意味を政治的美称であると考えるのが通説ですが、最近それよりも積極的な意味を認めようとする見解として、総合調整機能説等が主張されております。それにはどのような意味があるのでしょうか。単に国会の地位を捉え直すだけなのか、それともなんらかの解釈論上の帰結を導くものなのか。例えば、国家諸機関の権能および相互関係を解釈する際の準則となるとか、権限所属が不明確の場合には国会にあると推定すべき根拠となるとか、言われていますが、これらは政治的美称説から導くことはできないのでしょうか。また、これらのことを考えるについて、実質的意味の行政を控除説のように考えるか、より積極的に行政の意味を規定していく考え方をとるか、そういう問題とのかかわりなどについてもお伺いしたいのです。

芦部　いま言われた政治的美称説は日本の通説ですが、この考え方は、国会は主権者である国民にもっとも近い地位にあるという政治的な意味で「国権の最高機関」であると解する説ですね。したがって、国権を文字通り統括する機関だと解するいわゆる統括機関説のような法的意味に憲法四一条を解すべきではないということになります。

この美称説は、しかし、国会の権能もその裏づけとして考慮していると思うのです。それは第一に立法権です。立法は、法律を執行する、あるいは適用する行政、司法に論理的に先行するもので、その意味では二つの権力に優位します。これは権力分立の考え方の問題にもなりますが、モンテスキューの権力分立論はよく立法・司法・行政が並列的に考えられていると説かれることが多いのですけれども、論理的には立法があってそれを司法と行政が執行するということになりますから、モンテスキューの権力分立論においても立法権優位の思想が内在していたというふうに解するのが妥当だと私は思うのです。そういう立法権が国会に専属しているということが第一です。

第二に、国会は立法権のほかに憲法改正を提案するとか、条約の承認を行うとか、あるいは財政の監督を行うとか、その他国政調査権等々いろいろ重要な権能を憲法で認められております。

第三に、国会と内閣との関係については、議院内閣制というシステムがとられ、内閣は国会に対して連帯責任を負うことになっています。以上のような多くの権能も、政治的美称説の裏づけになっていると考えなければならないわけです。

●総合調整機能説

芦部　そこで総合調整機能説ですが、これは、国会は広範な憲法上の権能を通じて三権の間の総合的な調整作用を行うから国権の最高機関であると考え、最高機関性は法的な意味を持つというふうに説く学説です。その理由になっている国会の広範な権能というのは、具体的には政治的美称説の背景になっている権能と特に異なるものではありません。つまり、国権の総合調整と言っても、統括機関説の言うような、国権の統括という意味を持つわけではないということに注意する必要があると思います。したがって、特に解釈論上の新しい帰結が総合調整機能説から出て来るとは解されないと思うのです。ただし、政治的美称という消極的な説明よりも、国会の憲法上の重要な地位であるとか権能を説明するには適切だと考えることもできると思います。

また、総合調整機能説は、国会の最高機関性を一種の法的意味を持つというふうに考えて、帰属不明の権限は当然に国会の権限に属するものと推定されるとしている点に特色があるのですが、それも政治的美称説からも導き出せる結論ですから（例えば、清宮先生の『憲法I』法律学全集、有斐閣、一九五七年にはその趣旨の考え方が示されています）、そう考えると、特に質的な相違はないというふうに思います。

総合調整機能説と実質的にほとんど同じですが、先ほどの質問にも出ていたとおり、佐藤幸治教授の『憲法』（青林書院新社、一九八一年）によりますと、四一条は「政治的宣言とみるべきではなく、法的なものとみるべきであり、国家諸機関の権能および相互関係を解釈する際の解釈準則となり、また、権限所属が不明確な場合には国会にあると推定すべき根拠となる」と説かれています。この説は総合調整機能説を前提にしているのではなく、国権の最高機関は、「多数の国家機関によって行われる国権の発動を国家全体の目的にかなうように『統括する』任務を有する機関」である、という考え方を前提にしているものですが、ここでいう「統括する」という意味は、佐々木惣一博士などによって説かれた本来の統括機関説の言う「統括」とは異なる意味のもので、実質的には総合調整機能説とほとんど同じと思われます。

私は先ほど指摘したとおり、その趣旨は妥当だと思うのですが、ただ「法的なもの」とは具体的に何を意味するのか、それほど明確でないところに問題があるように思うのです。つまり解釈準則という意味なら、それは政治的宣言説ないし政治的美称説をとっても同じことになります。むしろ法的意味がないから解釈準則に止まるという規定が、憲法の場合には少なくないのですね。これは「法的なもの」の具体的な意味内容の問題、用語の問題ですが、その点一つ注意すべきポイントと思います。

●帰属不明の権限は国会に属するか？

芦部　権限所属が不明確な場合、国会に属すると推定すべき根拠となるという点ですが、これが「法的な」意味を持つということと直接関連するのかどうか、そこにも若干問題があります。

明治憲法時代「天皇は統治権を総攬する」という規定は、統治権を統括するという意味、それは美濃部達吉先生によりますと、立法・司法・行政のすべてが君主によって行われる、あるいは君主にその源泉を発しているという意味ですが、そういう意味をもつと解されていました。これを宮沢先生は、「憲法上は天皇が国家機関として広い権能の推定を受けることを意味する」と説いていたのです。とにかく統治権の総攬者とは、そういう一種の法的意味を持っていたと言えます。

しかし、日本国憲法の言う「国権の最高機関」は、そういう統治権の総攬者と同じ意味ではないのですね。ないけれども、国会が広い権能の推定を受けること、つまり帰属不明の権能は国会に属すると推定されるということ、これは国権の最高機関を政治的意味、政治的美称だと解する通説からも導き出せる、と私は思うのです。日本国憲法のもとで明治憲法の統治権の総攬者に当たる者を通説は主権者である国民だと考えています。つまり、国民にあらゆる国家権力の源泉があり、権力の正当性の根拠があるわけです。この主権者を直接に代表する国家機関が国会ですから、国会が広い権能の推定を受けるという解釈は成り立つわけです。四一条がそういう解釈をする準則になりうると思うのです。

ただ私は、この問題は、岩東君の質問にもありましたが、実質的意味の行政をどのように捉えるかということと密接にかかわるのではないかと思います。行政権の概念について、先ほど引いた佐藤教授の『憲法』は、控除説が基本的に妥当だとしたうえで、行政権を積極的に概念づけようとする試みをされています。それは、「内閣が各種の問題に直面する行政各部からの情報に接する立場にあり、そのような情報を基礎に国家の総合的な政策のあり方を配慮すべき、またはできる地位にある」ということだと言われています。これは大変示唆に富む見解ですが、これで行政の性質を掴み切れているかどうか、控除説と具体的にどのように違うのか、その点は私にはまだ明確ではないのです。

しかし、こういう行政概念を積極的に規定する考え方と結び合って、帰属不明の権限が国会に属するかどうか、その権限とは何か、ということが明らかになると思うのです。つまり、行政概念について控除説をとれば、佐藤教授の言われるような統括機関説をとっても、帰属不明の権限は国会に属すると推定されると直ちに解することはできないのではないかということです。

その点を明確に指摘したものとして、手島孝教授の説に注目したいと思うのです。手島教授は、いま私が述べたようなことを言われ、新しい積極的な行政概念の規定をしているのです。すなわち、若干分かりにくいのですが、行政とは「本来的および擬制的公共事務の管理及び実施」だと規定し、それを限定的積極説と呼び、この「積極説こそ今日の全体的憲法構造に適合した行政概念とされねばならないのであるが、こうして『行政のための権限推定』が否定された後には、今や帰属不明の国家機能に対して『国会への推定』が働くことになる」と述べ、こういう前提に立って、国会へ属すると推定される権能として基本的国家計画の決定、これは計画策定という現代国家における重要な国家機能ですが、それが国会に属するということが言えると言われているのです（『行政国家の法理』学陽書房、一九七六年参照）。

もっとも、これは必ずしも国権の最高機関性という規定だけでなく、計画の一種である予算についての憲法規定（八六条）も一つの支えとして考慮に入れられているのです。この学説の当否はともかくとして、先ほどの質問については以上のように考えます。

● **最高機関性と国政調査権**

岩東　いまのご説明でよく分かりましたので、次に最高機関性の問題と関連する国政調査権の問題についてお伺いします。いまおっしゃったような争いは国政調査権の本質及び範囲とかかわってくると考えてよろしいのでしょうか。また国政調査に絡んで最近出ている国民の知る権利を保護するための国政調査権という考え方についてもお伺いしたいと思います。

岩東完治君

憲法の勉強を始めてしばらくした頃、先輩に勧められて、『憲法の基礎知識』（有斐閣双書）『演習憲法』（法学教室選書）を読みました。非常に新鮮でした。司法の積極性と消極性、二重の基準の考え方等を知るにつれ、今までの理解が浅かったことを思い知るとともに、ばらばらだった知識が一つの流れで整理されるのを感じました。それ以来、芦部先生の書かれたものには、気をつけて読むようにしながら勉強を進めてきました。この度、芦部先生に、日頃の疑問を直接質問できる機会を与えていただけたことは、私にとり大変に有益で、感謝に耐えません。他の読者の皆様の疑問を、少しでも解消しうるような質問をすることができたのでしたらうれしく思います。

芦部　いま言われた国政調査権が、国権の最高機関性をどう解するかによって本質、限界、範囲が違ってくるということは、昭和二四年の浦和充子《みつこ》事件(2)の際に問題となった点ですが、その際に先ほどお話した佐々木惣一博士の統括機関説をとる学説は、国政調査権は統括機関であることに基づいて認められた独立の権能であるというふうに捉え、通説である補助的権能説と違う結論、つまり裁判を批判する調査も許されると主張したことは、よく知られているとおりです。

しかし、先ほど問題にした総合調整機能説は国政調査権の本質であるとか、限界・範囲そういう問題には直接かかわりないというふうに思います。この点について佐藤教授の教科書を見ますと、国政調査権は本来的には補助的なものである、しかし国会は国権の最高機関だから国政調査権の持つ国民に対する情報提供機能、争点提起機能は軽視されるべきではない、と言われています。

私もそのとおりだと思うのですが、それは、国権の最高機関性を根拠にして、国民に対して情報を提供する目的ないしは争点を提起する目的で、国政調査権の発動が許されるということまで意味するわけではないのですね。佐藤説は、国政調査権の本来的性格は補助的なものだけれども、と言っている点にやや独立権能説に近いものを感じるわけですが、私は、議会の報道機能を国民主権の原理に内在する新しい独立の権能の出現というふうに捉える見解の重要性は認めるものの、報道目的のための国政調査は許されないという考え方をとっているのです。この点はアメリカでも古くから争われてきた点で、現在でも意見の対立はありますが、報道目的のための調査は許されない、と一般に考えられています。もちろん、国民主権を実質化するために国会の報道機能を重視しますと、その手段としての国政調査の政治的機能をより積極的に評価することが必要であり、そういう意味はあるわけですが、これを国政調査権の本質に関する伝統的な法理論と混同してはならないのです。それと矛盾しない形で位置づける、政治的機能の重要性という形で位置づける、という構成をすることが必要ではないかと思うのです。

Ⅱ 立法の意義

●伝統的な立法概念

村山 次に立法の意義について加賀美さんからお願いします。

加賀美 芦部先生は『憲法と議会政』(東京大学出版会、一九七一年)という著書の中で大要次のように書いておられると思います。

まず、一般的抽象的法規範はすべて実質的意味の法律、つまり国会に留保された立法権と見るべきであって、国民の権利義務にかかわる法規範というもののみを実質的意味の法律と見ることは狭きに失する。しかしそうすると一般的抽象的ではない、いわゆる処分的法律や個別的法律の扱いが問題となる。憲法を検討してみるとこれらの法律を国会が定立することは必ずしも違憲とは言えない。そこで処分的または個別的法律を例外として実質的法律概念に包摂するか否か、あるいは権利義務基準に独自の意義を認めるか否かが検討されなければならない。その結果としては、おそらく実質的法律概念と形式的法律概念とはほぼその範囲を等しくすることになるであろう。

以上のような趣旨のことを書いておられると思うのですが、その内容について実質的法律概念と形式的法律概念とがその範囲を等しくするという論理、またそのことが具体的に何を意味するのか、そのところをお聞きしたいのです。

芦部　いまの質問に答える前提として、若干伝統的な立法の概念について触れておきますと、私は憲法第四一条の「唯一の立法機関」に言う立法、これは通説と同じように実質的意味に解すべきだと考えます。ただ実質的意味の法律の概念が問題になるわけです。

明治憲法時代は、ドイツの「法規」に当たるというふうに通常説かれたのですが、この「法規」は国民の権利義務にかかわる法規範というふうに普通説かれてきました。これは宮沢先生が、戦前「立法行政両機関の権限分配の原理」(1)~(3)、国家学会雑誌四六巻一〇~一二号、後に『憲法の原理』所収)という論文で指摘されたことですが、ドイツの立憲君主制において一般的法規範のうち、これだけは特に議会に留保しておくべきだという特別の内容を持った法規範、つまり議会が君主との抗争の結果獲得した最小限度の権限、それが「法規」であったのです。そういう歴史的な意味を持った概念であることに注意を要します。したがって、伝統的な「法規」の概念が、よく立憲君主制のイデオロギー的産物であると言われるのもそのためですね。そういう「法規」概念がそのままの形で民主主義憲法の法律概念として妥当することは困難であると考えます。

そこで、国民の権利義務にかかわる法規範といっても、直接的にかかわるだけではなしに、間接的にかかわる法規範も含むというように広く考えてゆかなければならない。さらに、むしろ一般的抽象的法規範というふうに実質的意味の法律を考えたほうが妥当ではないか、と思うのです。

ここで言う一般的抽象的という場合の一般的とは、細かなことですが、通常は法律の受範者が不特定多数人である場合を言います。また抽象的とは、法律の規律が及ぶ事件、あるいは場合が不特定多数である場合を言います。それを二つ合わせて法律の一般性（generality）というふうにも言いますが、要するに不特定多数人が受範者で、不特定多数の場合に適用される法規範を一般的抽象的法規範と言うのです。

●西ドイツにおける処分的法律のケース

芦部　こういう法律の一般性の観念は、大きな意味を市民社会において果たしましたし、法の支配の確立にも重要な意義を持ったのですが、二十世紀になっていわゆる国家が自由国家から社会国家に変化してくるに伴って、個別的具体的事件についても立法の形式で法の定立がなされるという例が起こるようになってきたのです。

これが西ドイツで一九五〇年代に大きな話題を呼んだマスナーメゲゼッツ（Maßnahmegesetz）です。日本では処分的法律とか措置法と訳されています。この処分的法律の概念は、学説上争いがありますので必ずしも明確ではないのですが、処分的法律を最初に唱えた有名なホルストホフ（Forsthoff, E.）という公法学者の一九五五年の論文では、特定の、一つの状況に限定された目的に奉仕する法律がマスナーメゲゼッツだとされています。それ以外に、一般的抽象的でない法律、すなわち、受範者が特定人であるのに適用される場合が不特定多数である法律、あるいは受範者が不特定多数であるのに特定事件に適用される法律、さらに受範者が特定人で適用される場合も特定事件である法律、そういう法律が処分的法律（措置法）と呼ばれる場合もあります。

このように概念が必ずしもはっきりしていないのですが、ここではいまあげたような法律を広く措置法ないし処分的法律と呼んでおきます。最近のドイツの学説では Individualgesetz（個別的法律）と呼ぶ例が多いのですが、用語はさておいて、こういう新しい類型の法律も実質的法律の概念の中に含まれると解することができるかどうか、これが問題になるわけです。

西ドイツの憲法裁判所は、基本法の法律概念は伝統的な概念に限定されないという広い立場をとり、措置法という概念は「憲法上重要ではない」、つまりそれも当然法律概念に含まれる、という解釈を示しました。この判決以後、ドイツの憲法学では、マスナーメゲゼッツに関する論争は終止符を打たれ、法律の概念と機能をめぐる問題は背後に退いてしまったと言われています。

有名なベッケンフェルデ（Böckenförde, E.-W.）という憲法学者の『法律と立法権』(Gesetz und gesetzgebende Gewalt）の第二版（一九八一年）によりますと、法律の概念は、内容的ではなく、国民の代表機関である議会で民主的な手続により世論と反対党の批判にさらされて制定され、法的な妥当性をもって受範者であるすべての人に遵守されている、という妥当性および手続概念を中心として捉えられている。これは法律を形式的概念として、つまり立法府がいま触れたような手続で制定したものとして捉え、それを実質的意味の法律だと考える立場です。ですから、これはベッケンフェルデも言っていますが、ラーバント（Laband, P.）が類型化した形式的意味の法律と実質的意味の法律に言うところの形式的概念に復帰したという意味ではないのです。国民代表である議会の民主的手続との関連で法律概念の構成をしているところに特徴があると思うのです。

こういう観点から考えますと、前に「現代における立法」（岩波講座『現代法』3所収）という論文にも書いたことですが、個別的・具体的な法律であっても、権力分立の核心が侵され、議会と政府の憲法上の関係が決定的に破壊されるような場合を除いて、権力分立違反の問題は生じないし、それから社会国家では具体的事実の違いに応ずる合理的な差別が要請される場合がありますから、個別的・具体的法律も直ちに平等原則違反と見ることはできないというふうに考えられるわけです。

●実質的法律概念と形式的法律概念とがほぼ範囲を等しくする理由

芦部　そうしますと、加賀美君が質問で指摘されたとおり、実質的法律概念と形式的法律概念はほぼその範囲を等しくするということになるのではないか。これは新しい社会国家的な要請に基づいて法律の範囲がそこまで広くならざるを得なくなってきたからだと思うのです。

ただ、これは立法権と行政権の質的な区別の問題、とくに人権保障の問題といろいろ関連しますので、西ドイツの憲法を例にとって少し付言しておきますと、ボン基本法一九条一項に「基本権を法律により、または法律の根拠に基づいて制限する場合には、その法律は一般的で個別の事件のみに適用されるものであってはならない」と定められています。ここで言う「個別の事件にのみ適用される」法律が個別的法律（Individualgesetz）に当たるわけです。

しかし、一九条一項で言う個別的法律かどうかは、実際には中々決めにくい。法律が適用される場合（事件）と受範者の数が多いか少ないかだけでは決められないのです。法律の表現は抽象的なものが多いわけですから、必然的に法律がどのくらいの人に対してどのような場合に適用されるか、これは正確に見通せないし、議会が事前に法律によって規律される場合は特定の事件であることを承知していたというだけでは、一九条違反の問題は起こらない。

日本でも、かつて大学の理事会の主導権の争奪をめぐって争われたM大学事件という紛争が泥沼状態に陥ってどうにもならなくなった際に、私立大学紛争処理法という法律を作って事件を解決したことがありますが、そのときにこの法律はM大学だけに適用されるということを国会は十分知っておりましたし、提案者もそういう意図で提案したのですが、それは私立大学紛争処理法が個別的法律であることを意味するわけではないのです。つまり、立法者の主観的な意思ではなく法律の趣旨や文言ないし意味から導き出される客観的な意思によって個別的法律かどうかが決まるのです。ですから濫用の危険もあるわけですが、その危険をチェックするものとして平等原則があげられているわけで、平等原則違反なら許されないというのが個別的法律に対するだいたいの考え方なのです。少し立ち入りすぎたため、かえって、わかりにくくなったかもしれませんが、この事件からも実質的な意味の法律は形式的意味の法律に非常に近づいている、ほとんど重なり合っている、ということが理解できたと思いますが、どうでしょう。

これはドイツだけでなく、アメリカやイギリスにはドイツの個別的法律に当たるものとして私法律(private law）という法律があります。これは行政処分的な法律ですが、立法権の範囲に含まれることには学説上異論はありません。限界は先ほど言った濫用もあるものですから難しいのですが、それはともかく、日本のように国会を唯一の立法機関として位置づけている場合には、立法の範囲は極めて広いと解すべきではないかと思うのです。

●立法と行政とが重なり合う範囲の問題

加賀美　質問した点についてわかりましたが、ただ、実質的立法の概念を確定する必要があるのは、行政権が本来国会に属しているはずの権限を行使することのないよう権限の厳格な分配をするためだと思うのです。ところがいまのお話によりますと、例えば、昨日までは行政権に属していた事項が、それに関する法律が制定されますと、実質的立法の範囲の問題となりますから、違憲になってしまうのではないか、つまり個別的法律ができた時点で従来行政権に属していた事項が本来立法であったということになってしまって、その行政活動は違憲無効であったということになるのではないか、という、形式論にすぎるかもしれませんが疑問があるのですが。

芦部　確かにそこのところは行政と立法との区別が相対化してくるので、例えば、委任立法の問題などを考える場合に解釈論上問題になる点が出てくると思うのですが、いまの質問で言われているかぎりでは違憲になるというわけではなく、立法と行政の競合的な領域になるということです。ですから行政権の行為が違憲無効になるということはないと思うのです。

加賀美　そうすると個別的法律で規定することのできる範囲というのは行政権がやってもいいのだということですか。

芦部　そうですね。命令で規定してもいいし、法律で規定することもできる、そういう二つの法形式の所管が重なり合う部分もあると思うのです。それは必ず法律で規定しなければならない事項ではなく、いわば任意的法律事項と言うことができます。ただ立法権というのは一般的抽象的な法規範の定立という原則があるわけですから、特定の事件あるいは特定の受範者に適用されるような規律は行政権の行為に原則として委ねられる。けれどもそれが法律という形式で規定される場合があっても、平等原則に違反せず、しかもそれだけの実質的な根拠があれば、違憲にならないと思うのです。

● **立法の範囲が拡大したと解釈する**

加賀美　そうしますと、実質的立法の概念自体が本来的に行政権においてはできない一般的抽象的法規範の定立という領域と、国会が手を出したらできなくなるけれども手を出すまでは行政権もそれをやっていられるという一種のグレーゾーンの領域とを含むことになりますから、実質的立法の意味自体も少し変質してくるということになるのですか。

芦部　いままでの実質的意味の立法の考え方から言えば変質と言ってもよいかもしれませんが、むしろ立法の範囲が拡大したと考えたほうがよいように思います。

実質的意味の立法を一般的抽象的法規範という形で限定してしまうと、それ以外のものは例外だということになります。例外だけれども場合によっては認められると考えるよりも、平等原則違反とか、あるいは権力分立の本質的なものを犯さないとかいう条件のもとに、それも認められると考えたほうがよいのではないか、ということです。その限界は西ドイツの個別的法律についていろいろ議論があるとおり非常に難しく、そういう法律まで認めると濫用の危険があるということで、かなり消極的な人もいるかも知れませんが、西ドイツの学説の動向はそこまで広く認めているのです。

日本でも明治憲法時代から、措置法的なものを実質的意味の法律の中に含める学説がありましたし、戦後も何人かの先生が実質的意味の立法の中に含めて解釈しているのです。その場合、それは例外として認められるというような理屈をつける有力な学説があるのですが、むしろ実質的意味の立法の概念が拡大した、それにはそれだけの理由があると考えたほうがいいのではないかということです。

それからもう一つ、一般的抽象的法規範は法律事項なのですが、必ず法律で定めなければならない事項と政令事項にしてもよいものとがあることに注意する必要があると思うのです。必要的ないし義務的な法律事項というのは、直接または間接に国民の権利を制限し、義務を課する法規範で、その趣旨は内閣法一一条と国家行政組織法一二条四項に定められています。

その点を例をあげて説明しますと、昭和五八年の国家行政組織法の改正で行政機関の内部組織のうち、「官房、局及び部の設置及び所掌事務の範囲」が、法律事項から政令事項に変わりましたね。それまで法律事項とされたのは、内部部局に関する定めであっても、国民の権利義務に間接的にはかかわるからだと考えられたからです。しかし、このような領域は、若干議論はあるかもしれませんが、政令事項としてもよいし、法律で定めてもいいという、両者が競合する事項と言えるのです。

したがって、今回の改正で政令事項になったからといって、いままでの行為が違憲になるのではないわけです。またもとへ戻して法律事項にしても、それまでの政令が遡って違憲になるわけでもない。そういうどちらで規定したほうが便利かという意味の政策的配慮が働く領域はあるのではないか、ということなのです。

岩東　その点は、国会が本来は一般的抽象的法規範で規定しなければいけないのだけれども、今度の法改正で政令に委任したのだと考えるわけではないのですか。

芦部　委任ではないのです。政令事項に変わったんですね。そもそも法律事項だけれども、新しく内閣に委任したのだというふうに考えていないのです。

岩東　一般的抽象的法規範説だと行政組織まで全部法律が決めなければいけないということになり、それが憲法の要請だと考えられますので政令事項にするには立法の委任だと解釈しなければならないのではなかろうか、と思っていたのです。

芦部　一般的抽象的法規範でも、直接または間接に国民の権利義務にかかわる事項を対象としない場合は、任意的な法律事項だと考えたらよいのではないですか。

第3章　議院内閣制

第100臨時国会での衆院解散（1983・11・28，写真提供・毎日新聞社）

I　議院内閣制の本質

●責任本質説と均衡本質説

村山　次に議院内閣制の問題についてお伺いします。議院内閣制を他の方式形態から区別するメルクマールは何かということについて、内閣の議会に対する責任制にその本質を求める見解、これを責任本質説と呼んでよいと思いますが、それに留まらず内閣の議会解散権をも不可欠の要素と見る考え方、これを均衡本質説と呼んでよいと思いますが、この二説が主張されています。先生はどちらの説をいかなる理由から支持されるのでしょうか。

芦部　この問題については日本でも外国でも学説が入り乱れており、しかも同じ責任本質説なり均衡本質説の中でもその説くところにかなり違いがありますから、どちらかに割り切って簡単に結論を出すことは難しいのです。けれども、私は二つに分けるとすれば、責任本質説の立場をいままでは採ってきました。その理由を簡単に説明します。

●古典的議会政の二つの特徴

芦部　西欧デモクラシーの政治制度を類型化する場合に、私は一般に説かれているとおり、戦前のドイツの超然内閣制を除きますと、アメリカ型の大統領政（presidential government）、スイス型の会議政（assembly government）、イギリス型の議会政（parliamentary government）の三つに大別できると考え、議会政――これは日本では議院内閣制と通常言われますが――の特徴は次の二点にあると説いております。一つは、執行権の二元性ということです。これは執行権が元首と内閣に分属しているということですね。元首は国王の場合もありますし、大統領であることもありますが、とにかく執行権が二元的になっているというのが第一の特徴です。この執行権の二元性の中身は、まず、①元首が内閣からも国会からも独立しており、政治的に無責任であること、したがって元首の行為はすべて議会に責任を負う国務大臣の輔弼に基づかなければならないこと、②ただし元首は通常は内閣総理大臣の任命権を持ち、その総理大臣が元首の承諾を得て、その他の国務大臣を選任すること、そして、③内閣は国会に対して連帯して責任を負う、つまり国会は不信任決議権を持っているということです。

議院内閣制の第二の特徴は、元首の解散権と国会の内閣不信任決議権、この相互の抑制手段によって二つの権力が均衡を保って協働する（collaborate）という関係にあることです。権力の均衡性という要件ですね。以上の二つが古典的な議会政といいますか、あるいは理論上の議会政の特徴だと思うのです。

●第一次大戦後の議会政の発達

芦部　ところが、これは常識的なことですが、第三共和制時代のフランスで、事実上内閣の解散権が行使されなくなるというような事態になり、議会がいわば支配的地位に立つようになりましたので、均衡のとれた協働体制とは違う形態の議会政がフランスで発達することになったのです。そこで、一九二四年にレズロープ（Redslob, R.）という学者は、『議会政』（Le régime parlementaire）という有名な本で、イギリスの議会政は均衡のとれた「正規の」議会政だけれども、フランスの議会政は均衡のとれない「非正規の」議会政である、という趣旨の意見を述べたのですが、イギリスとフランスのどちらが正規かということは重要な問題ではないのですね。というのは、もともと古典的な議会政は、沿革的には、「権力の均衡」というイデオロギーが重視された立憲君主制の下で生まれ、政党制の発達に支えられながら徐々に確立していった政治形態で、大臣が君主に対してだけ責任を負う立憲君主制と大臣が国会にも責任を負うようになった議会君主制ないし共和制との間の「過渡的形態」とも言われる政治システムですから、デモクラシーの発展とともに、それぞれの国の情況に応じて性格が変わるのは、むしろ当然ではないかと思われるからです。

ですから第一次大戦後、「議会の世紀」と言われるぐらい議会主義は広く世界の諸憲法で採用されるようになったのですが、解散権が内閣にない議会政あるいは解散権に厳しい制約を加えるような議会政を憲法で定める国も現れたのです。これは第三共和制フランス型の議会優位の議会政（議院内閣制）で、この傾向を強めてゆきますとスイスの会議政に近くなります。会議政は政府（行政権）が公選の議院（assembly）の一執行機関であるような政治形態ですが、こういう議会優位の議会政は会議政的議会政とも呼ばれます。

これと反対に、イギリスでは君主の権力が名目化し、執行権は事実上内閣に一元化し、しかも権力の均衡を建前としながら二党制による政党政治が発達しましたので、内閣優位の議会政（cabinet government）という傾向が強まってきており、そこでも古典的なシステムとは違う形態に変わってきています。さらに、第一次大戦後にワイマール憲法で採用された形態ですが、大統領（元首）が実質的に強大な権力を持ち、内閣は議会の信任と元首の信任の二つを必要とするという、古典的な二元的執行府（dual executive）をとる議会政も現れました。これは一八三〇年のフランス・オルレアン王朝下の立憲君主制憲法の下で初めて定められたシステムですので、「オルレアニズムの議会政」とも言われますが、よく大統領政的議会政と呼ばれます。

このように古典的な議会政、すなわち理論上の議会政は、第一次大戦後の諸国の憲法で具体的にとられた議会政、すなわち現実の議会政において、たいへん違うタイプのものに変わっていったわけです。

●現代議会政に共通する二つの構成要素

芦部　そこで、こういういろいろな形態のものを総合して共通の特色を挙げるとすると、私は二つの点が議会政（議院内閣制）の本質的要素ではないかと考えてきたのです。一つは、議会（立法府）と政府（執行府・行政府）が一応分立していることです。この点でスイス型の会議政とは基本的に違う。第二は、政府が議会に対して連帯責任を負うこと。この点でアメリカ型の大統領政と根本的に違います。この二つの要素があれば議院内閣制と考えてよいのではないか。その他の要素、例えば、内閣の解散権はいかに重要でも、連帯責任の原則と同じ基本的な性格を持たないと考えるのが妥当ではないか。理論上の古典的議会政の要件である「権力の均衡」というメルクマールは、レズロープのほか、フランスの第三共和制時代の著名な公法学者デュギ（Duguit, L.）によっても主張され、デュギ＝レズロープ理論とも言われて大きな影響を及ぼしたのですが、二十世紀の現代国家の議会政を考える場合には、本質的な要素ではないのではないか、こういうふうに私は考えてきたわけです。

そういう立場をとりますと、議会政（議院内閣制）と会議政との違いはどこにあるのか、ということが問題になりますが、この点については、樋口教授が『憲法の争点』（有斐閣、一九七八年）の中の論文で次のように書いておられるのが、参考になります。

「内閣の対国会責任性は、しばしば誤解されているけれども、機能的に見ると、内閣の国会に対する従属という効果だけをつねにもたらすわけでない、という事実である。すなわち、内閣は、対国会責任性ということによって、自分の政策と国会の意思が一致しない場合には辞職する自由をもち、それをテコとして、自分自身の政策を持ち、それを国会に強いる可能性をもつ。国会のほうから見れば、少なくとも内閣をとりかえることなしには、内閣に自分の意思を強制できない。そして、まさしくその点で、『責任』本質論的に理解された『議院内閣制』が、『議会統治制』〔会議政のこと〕となお区別されるのである。」

たしかに、こう考えれば、責任本質論をとって、なお会議政との違いを明らかにすることができると私も思うのですが、この考え方には批判もあるのです。それは、いままでの均衡本質論と責任本質論が、先ほど述べたような古典的な理論上の議会政と、現実の議会政とを区別したうえで、そのどちらに重点を置いて概念を定めているのか、必ずしも明確でなかったことが、批判を生んだ大きな原因になっていると思います。

議会政を責任本質論的に考えてきた理由は、古典的な理論上の議院内閣制の概念を前提にしながら、現実に運用されてきた議会政が必ずしも均衡を本質的な要件としていないという点が一つ重視されているのです。そうすると、政治形態を分類する場合に、会議政との違いをどこに求めるか。それは規範的な面での違いなのか、それとも現実の実態というか運用の面での違いなのか。規範的な面の違いであれば、樋口教授が言われたような形で割り切ることもできますが、現実にそれが適用される面で考えると、会議政との区別は責任本質論だけでは難しくなってくる場合が起こる。そこらのあたりは最初に話したとおり一義的に割り切って考えることができないという問題も残っているのです。

ただ、こういう問題はありますが、私は均衡という要素よりも、内閣の連帯責任という要素に重点を置いて議院内閣制の本質を考えたほうが妥当だし、それが現実の政治の実態にも適合するのではないかと考えています。

Ⅱ　日本国憲法における解散権

●解散権は議院内閣制の本質的要素ではない

村山　そうしますと、日本国憲法における解散権については、どう考えたらよいのでしょうか。ただいままでの議論で出てきました均衡本質説を採れば、内閣の衆議院解散権は憲法六九条所定の場合に限定されないという結論、あるいは全く逆に六九条の場合に限定されるがゆえにわが憲法の採用している統治形態は議院内閣制ではないという結論が、論理必然的に導かれることになると思います。そこで一方、責任本質説の立場に立った場合には、わが憲法の定める統治形態が議院内閣制であるということには疑いがないわけですが、解散権はどのように捉えられることになるのでしょうか。

芦部　簡単に言えば、議院内閣制だから内閣に自由な解散権があるというのではなく、解散権の所在、限界などの問題は憲法の規定に基づいて導き出されなければならないということになるのです。日本国憲法に即して言えば、六九条の場合に限られるか、それとも七条三号の国事行為に対する内閣の「助言と承認」の規定に内閣の自由な解散権を読み込むことができるか、という問題になるわけですね。この点について、私は、均衡本質論をとれば内閣の衆議院解散権は六九条所定の場合に限定されないという結論が論理必然的に出てくるかどうかというと、その点はたいへん問題があると思います。

というのは、たしかにクラシカルな議院内閣制の理念型では、均衡が重視されますので、内閣に自由な解散権があるというふうに考えられていたのですが、しかし均衡とはそういう完全な均衡か、それとも、均衡といっても相対的なものと考えるかという点は、この問題がよく議論にのぼるフランスの学説でも争いがあります。デュギ、レズロープなどはクラシカルな理念型としての議院内閣制を考えたものですから、内閣の自由な解散を議院内閣制の本質的な要素と考えたのですが、均衡というのはある意味では相対的な概念で、限定された解散権であっても一応解散権があって、国会との間で抑制均衡のシステムが定められている、あるいはそういうシステムが機能しているという限りでは、均衡状態にあると言うこともできるわけです。

そうしますと、六九条の解釈の問題にもなりますが、内閣不信任決議が可決された場合に限って内閣が衆議院を解散できるという解釈をとった場合に、それが均衡本質論と矛盾するかというと、必ずしもそうではないという解釈もできるのではないですか。ですからその点は均衡本質論というものの考え方にもよると思うのです。いままで日本で均衡本質論という形で分類され、説かれてきた学説は、質問で言われたように、解散は六九条の場合に限定されない、限定されるとすれば日本は議院内閣制でない、という趣旨の立場をとっていたのですね。内閣に自由な解散権を認める憲法上の根拠として、六九条のほかに、国会と内閣との関係について議院内閣制をとっている点をあげるいわゆる制度説は、そういう考え方だと思うのです。しかし均衡本質論とは、内閣の自由な解散権を当然に前提にしたものでなければならないかというと、そこに問題があるのです。

その限りで責任本質論と重なるというか、責任本質論をとったからといって、解散権が不必要だというわけではなく、解散権も重要な要素であることには変わりないのです。しかし、それは本質的な要素ではなくて、本質的なものは内閣の国会に対する連帯責任の原則である。それがあれば、極端に言うと、内閣に解散権のない政治システムであっても議院内閣制と考えることができる場合があるということです。もっともその極端な場合というのは非常に限られたもので、その極端な場合だけを考えると、先ほど問題にした会議政との区別が難しくなるというわけです。

●解散権の根拠を七条三号におくことも可能である

村山　責任本質説に立てば、解散権は憲法の規定から考えることになるというお話でしたが、先生自身はその点どうお考えなのですか。七条から導かれるのでしょうか。

芦部　私は先ほど言ったような考え方から、七条三号の「助言と承認」の中に内閣の実質的な解散決定権を読み込んで解釈することも可能だという説です。その点では、結論的には均衡本質論の説い

村山永君

「世の中憲法で動いているわけではない」といった言葉が、単なる現状認識としてではなく、憲法を軽視し憲法学を嘲笑する意味合いをこめてささやかれることが、今日少なくないようです。しかし、そのように言わせておいてよいのでしょうか。その答えは、断じて否でなければならないと思います。憲法及び憲法学の存在意義は、現在の日本が決して満足すべきものとは言えない憲法状況下にあるからこそ、いっそう大きいものになっていると言うべきであります。

このようなときに芦部先生との対談という機会に恵まれ、表面的な解釈論にとどまらず、その背後にある、いわば芦部憲法学のバックボーンとでも言うべきものに触れることができたことは、たいへん意義深いことだったと思います。

ているところと同じだと言うことができます。

村山　七条から導くのは解釈上無理ではないかという批判もありますが、そこから先の議論というのは、いや無理ではない、いや無理だという議論にしかならないのでしょうか。

芦部　それは解釈の争いですから、結局そういうことになると思うのです。ただ形式論理的に言えば、七条三号に根拠をおく解釈は、かなり無理な点もあると思います。しかし、解散制度の意義とか、いままでの運用とか、日本の憲法が定めている政治制度の趣旨を総合して考えますと、実質的決定権を「助言と承認」の中に読み込むことができないとまでいう必要はないのではないかと思います。そのあたりになると論理的に割り切っていけない面もあるので、これは水かけ論になってしまいます。

加賀美　そういう立場に立たれますと、自由な解散権が内閣にあることが憲法条文上明確であるということになるわけですね。

芦部　そうです。

加賀美　この部分の教科書の議論を見ますと、どの説もどうも解釈上無理があるなと思ってしまうのです。では、権限の帰属は不明確なのだから国会に属すると推定されるのか、それとも実質的意味の行政の概念を行政控除説に従って考えますと、行政権に属すると構成したほうがすっきりするのではないかとも思ったりするのですが……。

芦部　そういう見解もありますが、解散権が実質的行政の概念の中に含まれるという考え方をとりますと、解散は国会と内閣との関係を規律する歴史的にきわめて重要な制度ですから、憲法に解散権の所在とか限界、あるいは解散が行われる場合などを明示する規定があるのが当然ではないか、という疑問にどう答えるか。控除説をとって解散権を行政権の中に読み込んでしまうという解釈は成り立たないと私は思います。解散については、憲法に規定がないわけではなく、六九条とか七条に顔を出しているわけですね。そういう規定の解釈を通じて処理したほうが、解釈論としてはすぐれているのです。

加賀美　行政控除説についてはそうだと思うのですが、四一条を根拠とする考え方はいかがでしょうか。

芦部　それは国会の自律的解散を認めるという説になるわけですね。それもできないというわけではないのですが、しかし、憲法上の解散権の所在とか解散できる場合を明示の規定もないのに、「国権の最高機関」性を根拠として推定できる、読み込むことができる、というのは、憲法解釈として妥当かどうか。これは、いろいろの場合について問題になる憲法解釈論の一つの基本的な論点です。

Ⅲ　議院内閣制の現代的課題

●政党国家化

村山　それでは次に議院内閣制の現代的課題ということについてお伺いいします。周知のとおり現代においては、いわゆる行政国家化、政党国家化現象と呼ばれる現象が進行しており、それに伴って議院内閣制という憲法上の統治の構造はなんら変化していなくても、それが現実に持つ政治的な意味は大きく変化しているものと考えられます。このような状況の下にあっては議院内閣制に関する議論、更には権力分立に関する議論も、古典的な理論からの脱却を迫られることになるのではないかと考えるのですが、この点について先生はどうお考えなのでしょうか。

芦部　これは簡単には説明できない大問題ですが、私は数年前に書いた「議会政治と国民主権」という小論（法学セミナー増刊『現代議会政治』一九七七年所収）でその問題を少し考えてみたことがあります。今でも基本的な筋については同じ考えですから、それをお話してみましょう。

まず政党国家化ですが、これは西欧型デモクラシーの国家では不可避の現象ですけれども、それが伝統的な議会政の建前に対して及ぼした影響のうちで最も注目されることの一つは、内閣の国会に対する連帯責任の原則がもっていた政治的な意味が大きく変わったということです。

連帯責任制は議会と内閣との対抗関係を前提としています。ところが、この対抗関係が、政党政治が発達したため、とくに二党制の国で顕著にみられるのですが、政府＝与党と野党との対抗関係という図式に変わってしまったのですね。そうしますと、国会の立法作用ひとつとってみても、実際には圧倒的に政府提出法案が重要な比重を占めてくるし、国会の行政監督といっても、野党のみによる政府批判という形になってくるわけです。野党の足並みがそろっている場合はまだよいのですが、日本のように与党の力が強く、野党がばらばらだという状況では、国会の内閣不信任決議権と内閣の解散権という均衡がくずれ、憲法の規範と現実とのずれは大きくなるばかりです。

内閣が多数党をバックにある程度強くなり、主導性をもって安定政権を確立することは、現代の福祉国家では憲法上むしろ要請されているのですが、行政権があまりにも肥大化し、それを適切にコントロールする機能を国会が失うようなことになると、議会政は重大な危機を迎えることになってしまいます。

●行政国家化

芦部　その点で、第二の行政国家化という点にどう対処するか、これが議会政の運命を左右する大きな課題だと言うことができます。行政国家とは、政府が国家の基本的な政策形成に関して中心的かつ決定的な役割をいとなむ国家のことを言います。

「強い政府」は、とくに一九三〇年代から四〇年代にかけて、ファシズムと結びついて現れたのでたいへん問題にされたのですが、戦後は国が福祉政策を推進し、市民の経済生活に積極的に介入することが憲法上むしろ要請されていますから、「強い政府」といっても事情が違います。現在主として問題にされているのは、行政権による国の基本的政策の形成、とくにいわゆる国家計画（プランニング）に民主的統制があまり及んでいない、ということです。これが行政国家現象を強め、その行きすぎに対して警告が発せられているのです。そこで議会主義の復権をどういう方向で、またどういう手段によってはかっていくかという問題が、憲法学ではきわめて重要な課題とされているわけです。

現代国家では強い政府の必要性は否定できませんから、それを認めながらも、議会政が形骸化しないように、民意の公正な反映と討論を通じての妥協という議会主義の原点を踏まえて、内閣の対国会連帯責任という伝統的な議会政の原理を生かす方向で、問題の所在と今後のあり方を考えることが必要だと私は思います。

第4章　条約と憲法

対日平和条約の調印
(サンフランシスコ 1951・9・8, 写真提供・毎日新聞社)

（3） 一元論的傾向の外国憲法

イタリア（一九四七）一〇条①　イタリア法秩序は、一般に承認された国際法の諸原則に従う。

西ドイツ（一九四九）二五条　国際法の一般原則は、連邦法の構成部分である。それは、法律に優先する効力を有し、連邦領土の住民に対して、直接に、権利と義務を生じさせる。

フランス（一九五八）五五条　正規に批准され又は承認された条約又は協定は、他の当事国によつて適用される留保の下に、その公布の時から法律の権威に優る権威を有する。

（4） 条約承認権に関する外国憲法

イタリア八〇条　両議院は、法律により、政治的性質を有する国際条約、仲裁若しくは司法的処理を定める国際条約、又は領土の変更、財政上の負担若しくは法律の改正を伴う国際条約の批准を承認する。

西ドイツ五九条②　連邦の政治関係を規律し、又は連邦の立法事項に関係する条約は、連邦法律の形式をもつて、連邦立法につきそれぞれ権限を有する諸機関の同意又は協力を必要とする。行政上の協定については、連邦行政に関する規定が、準用される。

フランス五三条①　平和条約、通商条約、国際組織に関する条約又は協定、国家の財政に負担を及ぼす条約又は協定、法律の性格をもつ規定に抵触する条約又は協定、人の身分に関する条約又は協定、領土の割譲・交換・併合に関する条約又は協定は法律によるほか、これを批准し又は承認することはできない。

②　前項の条約及び協定は批准又は承認の後でなければ効力を発しない。

（出典・岩波基本六法）

I　条約の国内法的効力

●一元論か二元論か

村山　それでは、条約と憲法の問題について、岩東さんお願いします。

岩東　条約と憲法のところでは効力関係が問題になると思うのですが、これについては国際法と国内法の関係をどう見るかということで一元論と二元論があって、それとほかの論点がかかわってくると思うのですが、ここのところは教科書等を読んでも理解に困難を覚える個所ですので、理解のためのポイントとなるようなお話を伺えたらと思います。

芦部　これは大変難しい問題ですが、私は国際法と国内法との関係について一元論をとるか二元論をとるかという、主として国際法学で論じられ争われてきた問題は、憲法学で憲法と条約との関係、といっても条約の国内法的効力の問題ですが、それを一元論的にみるか二元論的にみるかという問題と、直結しないと思います。というのは、条約が直接に国内法的効力をもつか、それとも国内法化するため法律制定という「変型」(transformation)の手続が必要かどうか、という条約の国内法的効力の問題は、それぞれの国の国内法によって、つまり憲法と憲法慣習で決められる問題だからです。受容の仕方や憲法と条約の効力関係などをどう考えるかは、一元論をとるか二元論をとるか、という理論から解答が出てくる問題ではないということです。ただ、条約がそのまま国内法的効力をもつとされている憲法の場合は、国際法と国内法とがその限りで一元的に実定法上捉えられているということになります。

こういう趣旨で各国の憲法をみてみますと、かつては二元論的な考え方が有力で、現在でもイギリスのように二元論的な法制をとっている国もあるわけですが、とくに第二次大戦後では主要な諸国の憲法[3]は一元的な考え方をとるようになってきています。

日本国憲法の場合も、条約は国会の承認を経て公布されれば国内法としての効力をもつというふうに解釈され、実際の運用もそうなっていますし、外国の憲法でもそういうふうに考えている国が多いわけです。ただ、同じような憲法の条文でも国によって解釈が違うものですから、例えば、西ドイツ憲法など条文(二五条)だけ見ますと、明らかに一元論的な立場をとっていると思われるのですが、変型手続が必要だという二元論的な見方もあります。ですから、憲法の条文だけでは断定できないので、憲法がどのように運用されているかという憲法慣習まで含めて検討してみないと分からないのですが、戦後の諸外国の憲法とその運用から判断しますと、一元論的な考え方がほぼ大勢を占めるような状況になってきているのです。

●国際法と一元論・二元論

加賀美　国際法の教科書を読みますと、憲法の教科書に書いてあることとだいぶ話が違うので、大いにとまどうのです。国際法の場合ですと、国際法秩序と国内法秩序とは同一の妥当根拠に基づいているものというのが一元論です。全く異なる妥当根拠に基づいているというのが二元論で、国際法を国内法体系に受容するその仕方という点は、一元論・二元論のメルクマールになっておりません。先生が国によって一元論をとったり二元論をとったりすると言われるのは、受容の問題として扱っておられるわけですから、国際法学のほうで議論されている一元論・二元論の対立というものとは少し次元が違うわけですね。

芦部　そうですね。憲法の解釈論として一元論・二元論が問題になるのはそういう領域ではないかと思うのです。具体的には条約が直接に国内法的効力をもつか、それとも変型が必要かどうかということです。ですから、イギリスのように条約が国内法化するには特別の立法が必要だというのは二元論で、そういう特別の立法を必要とせず日本国憲法のように条約は国会の承認を経て公布されれば国内法としても妥当するというのが一元論です。このいずれの考え方をとるか、それは各国の憲法と憲法慣習で決まる問題で、国際法がそれを左右することはできない。そういう実定憲法の解釈理論という観念から、一元論と二元論ということを問題にしているわけです。国際法学でいう一元論・二元論と相応していますが、重なり合う関係にはないわけです。

加賀美　いま先生が各国の憲法と憲法慣習で決まる問題で、国際法によって左右できないということをおっしゃったのは、国際法で議論されている一元論・二元論のうち、二元論に立っているということになるのでしょうか。

芦部　どちらかと言えば、それに近いと考えることもできますが、そうではないのです。ただ国際法学でいう一元論の立場にそのまま立っているかというと、条約を国内法に受容する仕方、手続および条約と憲法との効力関係（優劣）などを決めるのは、各国の憲法だという考え方ですから、国内法優位の一元論か国際法優位の一元論か、という形で議論される一元論とも違うわけですね。

岩東　私も別だと思います。一元論に立っても、なんらかの方法・手続での受容は必要だという学者が大半ですし、二元論の立場に立っても必ずしも変型は必要ではなく、一般的受容で足りるとする学説もありますから。

芦部　ですから、二元論では各国の実定憲法と結びつかないし、先ほど言った国内法優位の一元論も国際法優位の一元論も、実定国際法規や憲法規定と適合しないという欠陥があることが、国際法学でも問題にされ、最近は国際法と国内法を等位の関係におく新しい理論が有力になっているようですね。

岩東　そうしますと、結論は、日本国憲法は一元論的な立場をとっているが、それは国際法と国内法との関係をどう構成するかという場合の一元論・二元論とは別の次元の問題だということですか。

芦部　そういうことですね。

Ⅱ　国会の承認権

●締結権は、立法と行政とが協働して行う権力である

岩東　それでは次に、国会の承認権についてお伺いします。先生は条約締結作用というのを基本的に立法権と執行権との協働的国家活動であるというふうに捉えておられますけれども、その意味をお教え頂きたいのですが……。

芦部　私が協働的な国家活動というか、協働権というふうに考えた趣旨は、条約締結権は本来伝統的には元首の権能、つまり行政権の権能であったわけですが、条約締結という国家作用の性質が歴史的に大きく変わってきている点に特に注目する必要があると思ったからです。

まず重要なことは、立憲主義が発達して、条約締結作用に対する議会の関与がだんだんと実定憲法で認められるようになったことです。ところがこの関与の方法、程度は、時代により国により著しく違っています。議会の関与は、初めは元首が議会の関与なしに締結した条約によって議会や国民が直ちに拘束されるようなことにならないよう、立法権を守るという受動的な目的をもって生まれたのですが、十九世紀の後半から、広く外交の民主的統制の役割を持つようになってくるのです。更に二十世紀に入り、国際主義が憲法の顕著な特色となり、条約のもつ意味が飛躍的に増大したわけですが、そうなりますと、内閣の締結する条約によって国民主権の原理が侵されることを防衛するという意味を、条約に対する国会の関与のシステム[4]が持つようになってきたわけです。

そこで問題は、具体的に国会の承認権の性質をどう考えるのが妥当かということになります。条約は事前または事後に国会の承認を経ることが必要だという日本国憲法七三条三号の規定は、事前承認を原則としていると解すべきだと思うのですが、そうしますと、承認という行為は、国内法的には条約の批准を政府に授権するという意味をもつ行為だと考えられます。しかし、国際法的にどういう意味をもつかという点については、たいへん議論があり、国際法の領域でも、少なくとも「条約法に関するウィーン条約」が締結されるまでは、学説の対立がきわめて厳しかった問題です。

私は、一九五〇年代ごろから諸国の学説でかなり広く支持されるようになってきた考え方ですが、国会の条約承認権は内閣の条約締結権をただコントロールする権能というだけでは不十分で、もう少し強い権能、強い意味を認めるべきではないかという立場をとっています。ワイマール憲法と戦後の西ドイツ憲法、第三共和制フランス憲法と第四共和制フランス憲法、こういう戦前と戦後の憲法のもとでの若干の学説を対比しながら考えますと、条約締結権は対外権、あるいは外交権として捉えるべきではないかと考えたのです。昔の未熟な論文ですが、「条約の締結と国会の承認権」(『憲法と議会政』東京大学出版会、一九七一年所収)という論文で、こういう趣旨のことを述べたわけです。

対外権というのは、外交事務という特別の領域に属する事項を処理する権能で、いろいろな国家機関の権限と関連する事務を取り扱う権能です。外交権とか対外権は、形式的には国家を外に向かって代表する執行権に属するのが通常ですが、政府に属するこの権能は国家意思を外に向かって宣言する作用であり、その国家意思の形成は、国会の決定に拘束されるのですから、そういう意味からいうと、実質的には立法権と執行権との協働によって行使される国家活動と考えるのが妥当ではないか、そう考えたわけです。つまり、国会が条約を承認する際に果たす役割は、単に政府に条約締結を授権するというだけではなく、国会自体が条約を結ぶという高度に政治的な行為に最終的な決定を下すことにあるのではないか。したがって、条約締結作用は、あるドイツの学者が指摘していたとおり、立法と行政とが協働して行う権力 (kombinierte Gewalt) と考え、内閣と国会とが協働して外交事務、外交作用、対外権を行使するというふうに捉えたほうが、現代憲法で国会の承認権の持つ意味が飛躍的に増大した、その重要性を的確に把握できるのではないか、という趣旨なのです。

●条約承認権と批准

加賀美　いまのように国会の承認権を捉えますと、それは通常、国際法上では批准と言われている行為に当たると思うのです。というのは、批准という制度が出てきた過程を見ますと、それは条約締結行為に慎重を期すためという側面と、国民に主権がある国家が増えてきたために国民議会の了承の上で条約を締結することが必要になったという二つの面があって、いまのように先生が捉えるとするならば、それは国会の承認を批准というふうに見られることになると思うのですが。

芦部 私のように解釈すると、実質的には、確かに批准的な意味をかなり強く持ってくるのですが、しかし批准というのは国際法としての効力を最終的に発生させる行為でしょう。国会の承認は、それがどんなに強い意味をもっても、それだけでは国際法的な効力は直ちに発生しませんね。第一次的には、国内法的に国家意思がそこで最終的に決定されるという意味なのです。ですから承認の法的性質は、条約の効力を発生させる批准という行為の性質とは意味が少し違うのではないかと思うのです。

加賀美 現在の慣行では、形式的な意味の批准は内閣自身が行っていますが、国会の承認が批准でないということになりますと、国会の承認がなくても条約そのものは成立することになります。効力も国際法上は発生することになると思うのです。条約締結行為自体は署名と批准によって終了するわけですから、先生が国会の承認を欠く各条約の国際法上の効力について条件つき無効説をとられておられるお立場と、国会の承認は批准ではないということとの関係をお伺いしたいのです。

芦部 私は条約締結作用を協働権というふうに考え、それを一つの根拠に、承認を欠く条約は原則として無効であるとする説を前提としてとるのですが、条約締結を定める憲法規定の具体的な意味は必ずしも明らかでないし、承認を要する条約の範囲も憲法慣習に委ねられている国が少なくないものですから、相手国に国会の承認権に関する憲法規定の具体的な意味を調べる責任を負わせるのは適当でないと思います。そういう観点から、法的安定性ということも考えて、内政不干渉など国際法の原則に反しない、可能な調査方法によって一般に知ることのできる条約締結権に対する制限、それに違反した場合にだけその条約の国際法的効力が否定される、つまり条約締結権を明白に、しかも直接に制限する、そういう規定だけが条約の国際法的効力を左右することができる、そういう条件つきの無効説をとったわけです。

こういう考え方は、国会の承認が結果的に一部批准としての意味をもつような考え方に実質的にはなるかもしれないけれども、しかし承認の法的性質が批准と同じだとは思いません。

加賀美正人君

「憲法は価値を全然無視した単なる容器ではない。憲法は一定の価値体系の表現である。……人間人格の尊厳を根本的な価値原理とする規範的秩序である。」『憲法制定権力』（東京大学出版会）の五四頁にある、芦部先生のこの言葉を読んだ時に、はじめて自分は学問のあるべき姿を知った様な気がします。憲法学が単なる論理にとどまらないということ、つまり、人間に関する深い洞察と社会に対する理念とを併せ考えて、初めてその真髄に触れ得るものであるということを知りました。これは恐らく、総ての学問に通じるものでしょう。この点を対談中に確認できたことが、やはり最大の収穫だったと思います。

●ウィーン条約と条件つき有効説・無効説

加賀美　先生のお考えは、ウィーン外交関係条約と矛盾しないわけですね。

芦部　そう思いますが、ただウィーン条約四六条の解釈が問題になります。四六条は、「いずれの国も、条約に拘束されることについての同意が条約を締結する権能に関する国内法の規定に違反して表明されたという事実を、当該同意を無効にする根拠として援用することができない。ただし、違反が明白でありかつ基本的な重要性を有する国内法の規則に係るものである場合は、この限りでない」と定めていますので、原則的には有効だという説に立っているわけですから、その点で先ほど説明した条件つき無効説と前提が違います。したがってその点で若干問題がないわけではないのですが、結論は同じだと私は思います。

加賀美　先生は国会の承認を欠く条約について条件つき無効説をとっておられるわけですから、国会の承認を欠くというのはウィーン外交関係条約でいうところの違反が明白でかつ基本的な法規に違反する場合に当たると考えられますので、国会の承認についてだけを言えば、ウィーン外交関係条約とは異ならないことになるのですね。

芦部　原則として本来は無効になるのだけれども、先ほど言ったように憲法規定の具体的な意味は必ずしも明白でない。例えば、西ドイツ憲法五九条に、「連邦の政治関係を規律し、または連邦の立法事項に関係する条約」は国会の承認を要する旨の規定があるのですが、政治関係を規律する条約は何かとか、あるいは国に財政上の負担を課する条約は何かとかいうのは、憲法の条文を見ただけでは分からないし、条約と行政協定の区別ということになると国によってかなり大きな違いもあります。無効説をとりますと、そういうことをすべて相手国に調べる義務を負わせることになりますので、内政不干渉の原則との関係でも問題が出てきます。そこで、違反が明白なものだけに限定する、これが私の考え方です。ですからウィーン条約四六条の考え方と結論的には同じになるのではないかということを書いたのですが、しかし、ウィーン条約が成立する過程では、有効か無効かをめぐって激しい争いがあり、両説を妥協させるために、条件つき無効か条件つき有効かという議論があって、有効説が優勢になり、結局は条件つき有効説ということで最終的に落ち着いたわけですね。

そういう経緯から言いますと、無効説を前提にした条件つき無効説とは論旨の筋道が違うような気がしたのです。しかし結論としては、ウィーン条約には矛盾しないのではないかというのが私の考え方なのです。

加賀美　名前は矛盾していますが、内容は矛盾していないということですか。

芦部　そういうことです。条件つき無効説と言わなくて、条約つき有効説と言っても、それは呼び方の違いだけの問題ではないかと思います。ですから条約との整合性をつけるためには、本来有効と言ったほうがすっきりしているかもしれません。けれども国会の承認権の法的性質等を考えますと、承認を得られない条約は原則として無効という前提で論理構成したほうがよい、と私は思います。宮沢説や清宮説は条件なしの無効論ですが、それはウィーン条約との関係だけでなく、解釈理論としてもかなり問題だと思います。

●条約の修正権はあるか

岩東　次に条約に対する修正権と、条約締結作用が協働的国家活動であるということとの関わりについて、お願いいたします。

芦部　日本の学説では修正権なしとするのが通説ですし、実際上の取り扱い(5)もそうですが、私のような考え方をとりますと、修正権の意味を具体的にどう考えるかにもよるのですが、通説には若干の留保が必要になります。私も言葉の本来の意味での、つまり法律や予算の場合と同じ意味での、条約の修正権はないと考えますけれども、全く修正権が国会にないとは考えないのです。

というのは、事前承認の場合に修正意見があれば、それに従って内閣は相手国と交渉する義務を負いますね。そして相手国と合意が得られなければ条約は不成立となります。その限りでは、国会に実質的に修正権はあると考えることもできるのではないですか。事後承認の場合は、条約が成立しているわけですから、修正意見が出ても条約の効力を否定することはもちろんできないわけですが、内閣は相手国と交渉する義務を負います。合意が得られなくても、条約の効力は失われない。その限りでは結果的には修正権なしということになります。しかし一応合意をとりつけるように、内閣は相手国と交渉する義務を負うという意味の修正権はあると思うのです。

岩東　いまのことは条約締結作用が執行権と立法権の協働的活動であるということの反映と考えてよろしいのでしょうか。

芦部　必ずしも反映とまでは言えませんが、協働権という立場をとれば一層強く、先ほど述べたような意味の修正権は認められるというか、認めなければならないのではないか、ということです。

（5）**修正権に関する政府見解**　条約の一部修正が可能かどうかが問題になった第一三回国会（昭和二七年三月二三日参議院予算委）以来、政府は、「条約の締結権は内閣にあり、かつわが国の一方的意思で内容を変更しえないものであるから、国会はこれを承認するに当たり、修正の希望意思を表明することは格別、修正することはできない」という立場をとっている。日米安保条約を審議した第三四回国会（昭和三五年二月一九日安保条約等特別委）で法制局長官が次のように述べたのも、その趣旨である。「……条約につきましては、こういうことに内容を変えたらどうかとおっしゃる希望の表明というものは、これは別のことで、あり得ると思いますが、そういう希望の表明があれば、政府としても、また向こうと交渉し直して、もう一ぺん条約を出し直す、そういうことになるわけであります。それは、いわゆる普通の法律案でいうような修正とは意味が違う、普通の法律案のような修正はあり得ない、かように私は言っておるわけであります。」

Ⅲ 条約の司法審査

● 条約は違憲審査の対象になる

岩東 条約に対する司法審査についてお願いします。先生は肯定説をとっていらっしゃいますが、八一条が条約を挙げていないという点は重大な難点ではないかと思うわけです。作成段階で明らかに除外する意思だったわけではないのでしょうか。

芦部 確かに条約が八一条の列挙事項に挙げられていないというのは、条約の違憲審査を肯定する上では大きな問題になるし、それを一つの理由に否定説というのもあるのですが、しかし憲法制定過程で、条約を除外するという制憲意思があったわけではないのです。諸国の憲法で違憲審査制が定められていますが、違憲審査の対象はほとんど国内法です。けれども条約の違憲審査は西ドイツの憲法裁判所では当然のこととして行われますし、アメリカ合衆国の付随的審査制の下でも人権にかかわる事件では審査が行われます。条約そのものの違憲審査を憲法の条文で明示している国も、例えば、一九七四年のフィリピン憲法、一九六五年のアフリカのセネガル共和国憲法のように、若干あります。ですから、書いてなくてもできるし、書いてあれば当然できます。

日本の憲法は書いてないのですが、条約を国内法的側面と国際法的側面の二つに分けて考えることができるとすれば、私はそう考えるのですが、国内法的側面に関する限り、八一条に列挙されている法律に準ずるものとして（ほぼ準ずるといっても法律よりも高い効力をもちます）、八一条の「法律」の中に含まれると解して違憲審査の対象になると思うのです。

加賀美　今のところと関連するのですが、条約の国内的効力を憲法と法律の間に置くというのが多数説のように思いますけれども、では条約を変型して法律の形で国内に施行した場合に、その法律の効力は単に普通の法律の効力と同じと考えていいのか、それともそれは条約の執行法であるから、九八条二項から法律よりも優先させて考えたほうがいいのか。通常は外国では法律として扱っているようですが、日本国憲法九八条二項があるのでとまどいを覚えるのです。

芦部　その点は、法律という形式になった以上は、一般の国内法律と同じランクの効力しか持たないと考えるべきだと思います。実際上もそう取り扱われています。自動執行力のある条約でも国内法的な実施のために通常法律を制定しますね。憲法が一元的に条約は国内法として妥当するという考え方をとっていても、条約だけでは国内的に実施できない場合が多いので、条約を執行するための法律が作られるのが普通ですが、それは条約と同じというわけではなくて、一般の国内法と同じに扱うべきだと思うのです。

第5章　憲法の変動

第九十七条　この憲法が日本国
民に保障する基本的人権は、人
類の多年にわたる自由獲得、
力の成果であって、これらの権
利は、過去、幾多の試練に堪へ
現在及び将来の国民に対し、侵
すことのできない永久の
て信託されたものである。

1985年の憲法記念日を前に上演された劇版・日本国憲法
「今日，私はリンゴの木を植える」（写真提供・毎日新聞社）

（6）憲法改正禁止規定の例

イタリア（一九四七）一三九条　共和政体は、憲法改正の対象となることができない。

西ドイツ（一九四九）七九条③　連邦を各邦に分けること、立法における各邦の原則的協力、又は第一条〔基本的人権の原則〕及び第二〇条〔国民主権主義〕において設定された基本原則、に影響を及ぼすようなこの基本法の変更は、許されない。

フランス（一九五八）八九条④　領土の一体性が侵されている場合には、いかなる改正手続も、これに着手し又はこれを追求することはできない。

⑤　共和政体は、改正の対象とすることはできない。

ベルギー（一八三一）八四条　憲法のいかなる変更も、摂政をおく間は、行うことができない。

一三一条b　戦時中又は両議院が国土において自由に集会することができない場合には、憲法のいかなる改正も、これに着手し又はこれを遂行することはできない。

（出典・岩波基本六法）

I　憲法改正

●自然法論的限界論という批判に対して

村山　最後に憲法の変動の問題について、加賀美さんからお願いします。

加賀美　まず憲法改正問題についてお伺いします。先生の立場は、人間価値の尊厳を中核とする根本規範には制憲権も拘束され、したがって制度化された制憲権たる改正権も拘束されるというものだと思います。しかしながら、これには一般のテキストなどでは批判が多いように思われます。初めに先生の学説が「自然法論的限界論」と命名されている点についてお伺いしたいと思います。

芦部　これは大変難しい問題で、いま言われたとおり批判もありますが、私の憲法論は法による権力の拘束という考え方を基本にしています。ですから規範的憲法論と言ってもよいかもしれません。その具体的な現れは、主権概念について広い意味の法による拘束を前提として考える立場をとっていることです。ボーダン（Bodin, J.）の説いた主権、あるいはシエイエスの論じた憲法制定権力も、広い意味の法によって拘束された法的権力（power de jure）なんですね。生の実力である事実上の権力（power de facto）をポテンティア（potentia）、法的権力をポテスタス（potestas）と言いますが、ボーダンの説いた主権は広い意味の法によって拘束されたポテスタスという性格を持つものであったと解する立場を私はとり、その点を重視するのです。ただ日本国憲法では、かつて権力を拘束する法(ius, Recht)と考えられた自然権が人権規定として実定化されていますから、この個人尊厳の原理を中核とする人権規範、すなわち制憲権をも拘束する根本規範は、自然法ではなく、超実定法的実定法と解されるものなのです。

こういう考え方を基本とする私の制憲権、あるいは憲法改正の限界に関する見解は[6]、たしかに一種の自然法論と呼ぶこともできるのですが、私の「自然法論」の内容というのは、いわゆる超実定的な基本原則も歴史と環境による拘束を免れがたいということ、しかし、その時代によって変転する基本原則も相互に矛盾する価値を内容とするものではなく、人間価値の尊厳という一つの中核的・普遍的な法原則に帰一するということ、その法原則を中核とする価値、原理の総体は近代憲法の根本規範で、それは実定化された超実定的憲法原則であること、そういうことを柱とするものですから、これは『憲法制定権力』という昔の論文を集めた本の中で書いたことですが、自然法と自然法論とは区別して考えなければならないという考え方を基礎にしているのです。

そういう区別をして考えること自体に問題がある、という意見もあるかと思いますが、ホセ・ヨンパルト教授が言われているように、私も「法原則の歴史性」という観点を基本としながら、法律的に実定法から独立した自然法は認められないけれども、実定法に内在するものとしての自然法は認められると思うのです。この立場が現在では自然法論と一般的に言われている学説なのです。私はその考え方と基本的には同じ立場をとっているわけです。
したがって、自然法論対法実証主義という図式で現代の法哲学上いろいろな理論的対立を説明することはできないというのが、私の根本的な考え方です。そう考えますと、実定法でなければ法として認めないという法実証主義の見解は、いま述べたような自然法論とは抵触しないということになります。ただ私のような考え方は、たとえ実定法であっても直ちに法にならない、という条件を残すところに、法実証主義との大きな違いがあります。これはヨンパルト教授が言われていることですが、「悪法も法である」という主張をそのまま是認しないという考え方なのです。そこに現代の自然法論の特徴があると思うのですね。この立場は、実定法を前提とするという意味で歴史的自然法論と呼ぶことができます。実定法に基礎を置く「自然法論」だという点に注意してほしいと思うのです。

●個人の尊厳が中核的指導原理である

加賀美　そうしますと『憲法の争点』にのっている論文に、「すべての行為規範は人間の意志行為の意味にすぎず、神ならぬ人間の意志行為の意味は普遍妥当性を持ち得ないと考えられる」から、自然法論はとりえないという批判があるのですが、それについてのご意見はいかがでしょうか。

芦部　いまの批判にあるように考えますと、そのままでは必ずしも私の真意と合わないように思いますので、先ほど述べたことを若干繰り返しますと、私は個人尊重の原理、これを憲法をして憲法たらしめる中核的な原理と考えます。憲法は人権宣言と統治機構の二つの部分から成っておりますが、憲法の本質は、国家権力を制限し、国家権力に一定の権限を与え、それによって人間の自由と生存を確保する法であるところにありますから、個人尊重の原理に基づく人権の承認と国民主権は、宮沢先生の言葉を借りますと、「最高の絶対的な価値を持つといってよい」原理です。

私は前に「宮沢憲法学の特質」(ジュリスト六三四号、後に『憲法制定権力』所収)という論文を書いたことがありますが、そこで宮沢先生の言葉を引きながら、次のような趣旨のことを書きました。

「『個人の尊厳』は、日本国憲法の基本原理の最も根本的な指導原理であり、それは民主主義の基礎である。日本国憲法はしたがって人権の保障を何よりの目的としている。個人がすべての価値の根源だということになれば、すべての個人が政治権力の源でなければならない。そこから必然的に国民主権の原理が生まれてくる。つまり国民主権の原理は個人主義の原理に由来するもので、基本的人権の尊重を欠いては国民主権は成立できないという関係にある。」

こういう趣旨の立場から、人間の尊厳の確立を宮沢先生は「人間の歴史の必然の方向」と見て、国民主権もその本質においてはどこまでも世界史的必然性を持つものだというふうに論じております。そして、この個人主義を社会国家、平和国家を基礎づける原理として位置づけるのです。私の考え方はこれとほぼ同じですが、こういう憲法の基本原理を、いま批判されたように、「すべての行為規範は人間の意志行為の意味にすぎず、神ならぬ人間の意志行為の意味は普遍妥当性を持ち得ない」という論法で否定するのは、観念的な法実証主義の考え方で、問題ではないかと私は思います。

加賀美　先ほど先生は実定化されたとおっしゃったのですが、いったいそのような自然法規範の内容を誰がどのような方法、手続で認識するのか、そしてその認識の正しさをいかにして確定可能なのかという批判がある点についてお願いします。

芦部　その批判も私から見ると形式的な批判だということになります。中身を誰がどういう方法、手続で認識するかという形で問題にすべきではなく、それは近代憲法の歴史の積み重ねによって確証され実定化された自然法だということなのです。基本的なものは人間人格の尊厳という原則です。これは憲法に内在する最高の価値だと思います。しかし、それにどういう内容が盛り込まれているのか、具体化されているのかということは時代によって変転するわけです。変転はするけれども、具体的な人権の保障とかその他の憲法原則は、最終的には個人尊厳の原理に帰着するということなのです。このような最高の価値を認めないということになれば、近代憲法論が成り立たないことにもなるのではないか。確かに法実証主義の観点からは、具体的に内容を誰がどのような方法で認識するのか、いかにして確定可能なのか、という議論も成り立つと思いますが、それによって先ほど言いました最高の価値というものが否定されるというふうには直ちに言えないということです。

●制憲権と改正権との関係をどう位置づけるか

加賀美　先生の立場に立たれますと、制憲権と改正権を区別する意義はどこにあるのかという疑問があるのですが……。

芦部　解釈論の領域では、ある程度区別の意味は失われると思います。ただ私は、改正権は制度化された、組織化された制憲権だと考えますが、それによって制憲権は永久凍結の状態におかれてしまうのではなくて、ごく例外的な非常な場合に限って、なお働くことがありうるというふうにも考えますので、改正権の性質を説明し、その限界を明らかにするという意味がある。つまり憲法改正の限界説というのは、まず制憲権と改正権の二つを区別することから出てくる。区別しないと限界説は出てこないと思うのですね。区別しないと制憲権、改正権、一般の国家権力という一連の権力の序列を構成することはできないわけですから、改正権が産みの親である制憲権の所在を変更できないというような考え方、解釈は出てこないのです。カール・シュミット（Schmitt, C.）の学説に典型的にみられる改正権の限界というのは、そういうふうな論理で構成されているのです。

しかし私は、カール・シュミット的な意味の改正権と制憲権の区別という考え方だけでは、正しい改正権の限界を導き出せないのではないかと思います。つまり、人権の理論をそこにもちこまないと、改正権の限界の論理構成が、形式論理的になってしまうのではないか、制憲権は改正権の産みの親だから、主権の所在は改正できないというだけの論理になってしまうのではないか。そういう改正権の限界論は大変問題だと思います。ですから私は、シュミット理論に対しては非常に批判的なのです。

そこで私は、法による権力の拘束という実質的憲法論の考え方を加味して考えるわけです。すなわち、先ほどお話したとおり、個人尊厳の原理を最高の価値と考えますと、そこから人権と国民主権の原理が出てきますね。この二つが憲法の最高の価値だというふうに構成していかないと限界論は根拠が薄弱になるし、また近代憲法の本質を実質的に構成する考え方とつじつまが合わなくなってしまうと思うのです。これが最初にお話したとおり、私の憲法論が法による権力の拘束を基本とする、という趣旨なのです。自分では制定権力と改正権を区別した実益は失われていないと思っているのですがね。

村山　先生のお立場では、仮に根本規範に反する改正がなされたとすれば、そのような改正は無効だと断定することになるわけですね。

芦部　その点は非常に難しい問題で、このリブレの性質から言うと少し立ち入りすぎる議論かもしれませんが、私は事情によっては無効か有効か割り切れない場合も出てくると思います。しかし本来は無効といいますか、妥当性はないと考えています。ただ、例えば、革命によって生まれた新しい憲法が無効だといっても、それが長期間にわたって実際に行われた場合に、あくまで無効だと言い通せるかどうかという問題があるわけです。そのときに「憲法の正当性」という要件をそこへとり込んで、正当性（legitimacy）がない憲法はあくまでも妥当性を獲得することはできないというふうに考えるの

芦部先生と学生達

か、それともイェリネック（Jellinek, G.）的な「事実の規範力」説を真正面から認めて、事実が規範性を獲得していくというふうに考えるのか、ということが問題になります。私は正当性の要件を加味して考えないといけないという立場をとるものですから、正当性の要件を欠いているとすれば、妥当性はないというふうに考えてきたのです。しかしこのような考え方にはいろいろ批判がありますので、それに固執していいかどうか問題ですが、私の憲法論から言えば、妥当性なしというふうに考えないと一貫しないということになります。

●根本規範と憲法制定権力

岩東　先生のお考えは、歴史的に変転しうる自然法規範というものが存在して、それを憲法制定時に、憲法制定権力が日本国憲法に関していうならば、個人の尊厳という根本規範という形で憲法秩序の中に盛り込んだのだという理解でよろしいのですか。

芦部　ほぼそういうことです。

岩東　憲法制定権力が自然法に基礎を置く根本規範を設定したということなのでしょうか。

芦部　設定したと言ってもよいのですが、もともと国民の制憲権は、個人尊厳の原理に基づく人権の原理と結びついて働いたのですから、設定したといってもクリエイトしたという意味ではなくて、自然権を確認して実定化したという意味に考えるべきだと思います。先ほどお話したとおり自然法的な原則を認めるのですが、それは超実定法的な実定法の原則で、そういう意味の根本規範なのです。

岩東　その根本規範に制憲権は拘束されるわけですね。

芦部　根本規範は憲法の外にあるのではなく、憲法に内在する最高の価値であり、実定化されている規範です。制憲権はこの実定化された根本規範によって拘束されるということですが、実質的には自然法によって拘束されるということにもなります。しかしそれは憲法の外にある超実定法原則によって拘束されるというのではなく、憲法に内在している原則によって拘束される、実定法によって拘束されるということになるのです。

そう考えると、それは制憲権ではないのではないかというふうにも言えるかもしれません。ですから、むしろ法治主義の徹底した憲法では、制憲権は全部憲法の中に組織化され、改正権と国民主権の原則となり、非常の場合に働く憲法制定権力は存在しえないというように考えたほうが、あるいは妥当かもしれない。しかし、私はこの永久凍結説の立場に非常に近いのですが、若干の留保を残す考え方をとってきております。もちろん憲法制定権力の発動として正当化される場合というのは、非常にクリティカルな場合以外には出てこない問題ですが。

●日本国憲法が存在しない場合は

加賀美　そうすると日本国憲法が存在しない場合には、日本国における制憲権は何ものにも拘束されない実力なわけですか。

芦部　そうではなくて、その場合も、かつてシエイエスが言った自然の法に拘束される、という論理と同じような考え方が妥当すると思うのです。国民の憲法制定権力というのは人間の尊厳というか自然の自由を前提とし、それと結び合って初めて存立しうると考えられたものです。しかし自然権は、それを実定化して憲法の中に取り込んで、人権宣言という形にならないと、自然法的なものです。ですから、制憲権が超実定法的実定法によって拘束されるといっても、自然権が実定法化される前は制憲権と並んで憲法の外にあったというか、まだ憲法がないわけだから、それは実定法ではないのですが、ただ、国民の制憲権は国民の権利・自由を抜きにしては存立しえないものだと考えれば、少なくとも制憲権の存在、活動それ自体の中に一定の制約が内在しているのだということになると思うのです。そこまで考えて、すべての場合をカバーするような理論構成をしようとすると、概念が形式化し、事物の本質を見失うおそれもありがちですから、その辺の考慮も必要ですね。

Ⅱ　憲法変遷

●憲法変遷に限界があるか

加賀美　「憲法の変遷」と言われるものにも同じような限界があるのでしょうか。

芦部　憲法変遷は憲法改正と法的性質が違いますから、限界があるといっても、その理由も違うのですが、私のような硬性憲法であることを重視する実質的憲法論ないし規範的憲法論の立場をとれば、憲法改正の場合よりももっと大きな限界があるという結論になると思います。

というのは、どこの国でも成文憲法典のほかに、憲法上の慣例とか慣習ないし習律と言われるものが存在しますが、そういう憲法慣習のうちで、憲法の本来の意味を発展させるものとか、憲法の明文の規定が存在しない場合にその空白を埋めるものは、特に問題はないのですが、憲法規範に明らかに違反する慣習、つまり憲法規範の本来の意味と違う内容のもの、これは規範の実効性を奪うような内容のものですけれども、こういう慣習は、あくまでも違憲の慣習であり、それが憲法規範を改廃することのできる効力まで持つことはできない、と考えるからです。ですから、事実上憲法規範の実効性が失われ、規範に反する現実が長く継続することはあっても、それによって規範が改廃されるという法的な効力が生じるわけではないと思うのです。

このように考えますから、改正権の限界と一般に解されている憲法の基本原理に反する慣習はもちろんですが、それ以外の規範についても、それに反する慣習は原則として憲法規範と同じ法的効力を獲得することはできない、と思うのです。憲法変遷と言われる現象については、こういう観点から考えるべきだというのが私の立場です。憲法規範の意味が変わるとか、意味が拡充していくというだけの変遷なら一般に認められるし、当然だと思うのです。そうではなくて、違憲の事実が規範性を獲得していくという意味の変遷だとこれは原則として認められないと考えています。

ただ、認められないといってつっぱねていただけでは問題の解決にならない場合も出てくると思うのですね。そこで、イギリス憲法でいう「習律」という性格を認めることができる場合もあるのではないか、これが私の説いた習律説で、西ドイツではかなり有力な学説です。

村山　まだたくさんお聞きしたい点がありますが、時間もなくなりましたのでこの辺で終わらせて頂きます。芦部先生には三回にわたりいろいろとご教示頂き、誠に有難うございました。

■あとがき

『憲法の焦点』PART3（統治機構）も、前二回の対談の場合と同じく、項目や質問事項の選定は学生諸君が相談して行ったものであるが、今回は対談時間との関係などを考慮し、私の意見によって変更を加えた個所もある。

対談といっても、何分限られた問題点について限られた時間内に行われるものであり、かつ、このリブレの性質上、議論があまり行き来すると私の考え方の構造を分かり易く説明することができなくなるおそれもあるので、かなり一方的に話をしてしまった個所が多い。もう少し対談の要素があった方がよかったかも知れないと反省しているが、PART1の時と比べると、学生諸君から活発に質問が投げかけられ、そのおかげで、全体として一つの面白い読物になったように思われる。

もう一つ、ここにお断りしなければならないのは、PART3の刊行がこのように遅れてしまったことである。それは一つには、PART2の対談（一九八四年二月）に続いて行う予定の会がいろいろの都合で約一年延びてしまったという事情によるが、さらに、一冊の中に盛り込む問題点が多かったためか、今年の二月下旬に長時間かけて行った対談の記録を整理する時間的余裕を私自身が中々得られないまま、数ヵ月を経過してしまったことによるところも大きい。その点は読者の皆さん、特に対談に参加された学生諸君にお詫びしたい。

＊

憲法に限らず法学の学習において最も重点を置かなければならないのは、結論を導く論理の筋道であり、その筋道のもつ説得力である。このいわゆる論理構成を、種々の具体的な法現象を解明したり設問に答えたりする場合に、大筋を誤らず柔軟に行うことができる能力を身につけるには、特に憲法の場合は、基本的な事項を体系的に、しかもかなり突っ込んで、よく理解することが何よりも必要である。細部にとらわれすぎ「木を見て森を見ない」勉強方法だと、憲法感覚は身につかず、憲法はいつまでも苦手の課目になってしまう。

こういう基本事項の体系的理解のための一助に、というのが、三冊の『憲法の焦点』で私が心がけた最大のねらいであった。ただこのねらいは、対談時間の不足や準備の不十分さのゆえに、必ずしも期待どおり実現されたとは私自身思わないが、それでも、熱心な四人の学生諸君の協力のおかげで、私の願いはかなりの程度かなえられたのではないかと思う。とにかくこの意図を汲んで、『憲法の焦点』をよく理解し、各自の勉強に役立てて頂ければ、著者の喜びこれに過ぎるものはない。

最後に、三回にわたる対談に参加された四人の諸君と、本書の刊行に労を払われた有斐閣の大井文夫君に、改めて厚く謝意を表する。

一九八五年一〇月

芦部信喜

有斐閣リブレ No.3――憲法の焦点 PART3・統治機構

1985年11月25日 初版第1刷発行 ©

著　者　芦部信喜

発行者　江草忠敬

印刷・製本　法令印刷

発行所　株式会社 有斐閣
〒101 東京都千代田区神田神保町2―17
電話 (03) 264-1311 振替 東京 6-370
京都支店〔606〕左京区田中門前町44

憲法の焦点
PART 3　統治機構 —芦部信喜先生に聞く—（オンデマンド版）
有斐閣リブレ

2013年5月15日　発行

著　者　　芦部　信喜
発行者　　江草　貞治
発行所　　株式会社 有斐閣
〒101-0051　東京都千代田区神田神保町2-17
TEL　03(3264)1314(編集)　03(3265)6811(営業)
URL　http://www.yuhikaku.co.jp/

印刷・製本　株式会社 デジタルパブリッシングサービス
URL　http://www.d-pub.co.jp/

AG707

ISBN4-641-91199-1　Printed in Japan